ИСТОКИ

STARTING OUT

Russian Reader with
Explanatory Notes
in English

Beginners' Stage

Second edition

Russky Yazyk Publishers
Moscow
1988

ИСТОКИ

Книга для чтения
с комментарием
на английском языке

Начальный этап

Второе издание

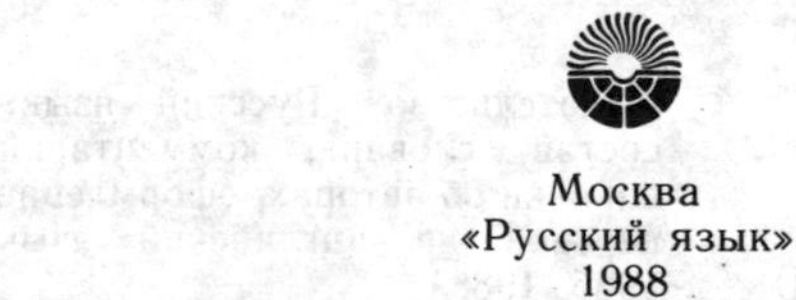

Москва
«Русский язык»
1988

Составитель, автор справок о писателях,
комментария и словаря
Ломакин П. И.

Рецензенты:
канд. филологических наук *Линков В. Я.*
и *Бокучава А. М.*

Художник *Дзуцев А. С.*

Переводчик *Клайв Лиддиард*

ИСТОКИ

Составитель, автор справок о писателях,
комментария и словаря
Ломакин Павел Иванович

Зав. редакцией *Г.Я. Коваленко*
Редактор *Н.А. Ерёмина*
Мл. редактор *М.С. Лищинская*
Редактор перевода *А.Б. Карпус*
Художественный редактор *А.С. Широков*
Технические редакторы *С.Ю. Спутнова,*
Н.Н. Герасимова
Корректор *Н. Н. Сидоркина*

И $\frac{\textbf{4306020100-165}}{\textbf{015(01)-88}}$ **143-88**

ISBN 5-200-00142-0

СОДЕРЖАНИЕ

Здра́вствуйте!

Вы чита́ете по-ру́сски?
Не о́чень хорошо́?
Начни́те чита́ть э́ту кни́гу.
Чита́йте её ме́дленно.
И вы бу́дете чита́ть ру́сские кни́ги.

Дорого́й чита́тель!

Эта кни́га предназна́чена для начина́ющих изу-ча́ть ру́сский язы́к. В ней Вы найдёте небольши́е расска́зы, стихи́, о́черки о сове́тских лю́дях и кра́т-кую странове́дческую информа́цию о Сове́тском Сою́зе.

По содержа́нию гла́вы характеризу́ются сле́-дующим о́бразом: в главу́ 2 вошли́ произведе́ния о приро́де, в главе́ 3 наряду́ с расска́зами и стиха́-ми Вы найдёте кра́ткую странове́дческую инфор-ма́цию на географи́ческую те́му, в гла́вах 4, 5, 6 — на истори́ческую те́му. В главе́ 7 — расска́зы и по́-вести совреме́нных сове́тских писа́телей.

Те́ксты предста́влены в сокраще́нии и́ли фраг-мента́рно. Они́ располо́жены по при́нципу возра-ста́ющей тру́дности. Пе́рвые те́ксты в гла́вах 2, 3 и 7 рассчи́таны на владе́ющих 1500 общеупотреби́-тельных ру́сских слов, в после́дующих те́кстах идёт нараще́ние ле́ксики по тру́дности. По́сле ка́ж-дого те́кста помещён слова́рик, а та́кже коммента́-рий, поясня́ющий странове́дческие реа́лии. Сло́ж-ные те́ксты — посло́вицы, зага́дки, а та́кже стра-нове́дческий материа́л — даны́ на ру́сском и ан-гли́йском языка́х.

Наде́емся, кни́га помо́жет Вам в изуче́нии ру́с-ского языка́.

ГЛАВА́ 1

Посло́вицы. Поговорки. Зага́дки.

CHAPTER 1

Proverbs and Sayings. Riddles.

ПОСЛО́ВИЦЫ И ПОГОВО́РКИ

1. Век живи́, век учи́сь.
2. Ро́дина — нача́ло всех нача́л.
3. Челове́к челове́ку — друг, това́рищ и брат.
4. Повторе́нье — мать уче́нья.
5. Сде́лал де́ло — гуля́й сме́ло.
6. Хоро́шее нача́ло — полови́на де́ла.
7. До́лог день до ве́чера, е́сли де́лать не́чего.
8. Жизнь прожи́ть — не по́ле перейти́.
9. Ю́ноши ду́мают о бу́дущем, старики́ — о про́шлом.
10. Ста́рый друг лу́чше но́вых двух.
11. Семь раз приме́рь, оди́н — отре́жь.
12. Хлеб всему́ голова́.
13. Ве́шний день год ко́рмит.
14. Дорога́ ло́жка к обе́ду.
15. Лу́чше по́здно, чем никогда́.
16. Мину́та час бережёт.
17. Не до́рог пода́рок, до́рого внима́ние.
18. Око ви́дит далеко́, а мысль ещё да́льше.
19. Коне́ц — де́лу вене́ц.

7. до́лог, long 11. оди́н, one (time) 12. всему́ голова́, the most important 13. ве́шний, spring 14. дорога́, dear, precious 18. о́ко, eye 19. вене́ц, crown, completion

PROVERBS AND SAYINGS

1. You live and learn.
2. The Motherland is the beginning of all beginnings.
3. A man is a friend, comrade and brother to all his fellow-men.
4. Practice makes perfect.
5. Business before pleasure.
6. Well begun is half done.
7. Time hangs heavy with nothing to do.
8. Life is no picnic.
9. The young look to the future, the old to the past.
10. An old friend is better than two new ones.
11. Look before you leap.
12. Bread is the staff of life.
13. Spring provides food for the rest of the year.
14. A stitch in time saves nine.
15. Better late than never.
16. Take care of the minutes, and the hours will take care of themselves.
17. It's the thought that counts.
18. The eye sees far, but the mind's eye farther.
19. All's well that ends well.

ЗАГА́ДКИ

1. **У дву́х матере́й по пяти́ сынове́й.**

(ру́ки и па́льцы)

2. **Оди́н льёт, друго́й пьёт, тре́тий растёт.**

(дождь, земля́, трава́)

3. **Не ку́ст, а с листо́чками, не руба́шка, а сши́та, не челове́к, а расска́зывает.**

(кни́га)

4. **Протяну́ли струну́ на всю́ страну́, далеко́-дале́чко плывёт моё слове́чко.**

(теле-фо́н)

5. **Зимо́й и ле́том одни́м цве́том.**

(ель, сосна́)

6. **В воде́ роди́тся, воды́ бои́тся.**

(соль)

RIDDLES

1. Two mothers have five sons each.
   What are the mothers?

2. The first pours, the second
   drinks and the third grows.
   What are the three things?

3. I have leaves, but I'm not a bush,
   I'm stitched, but I'm not a shirt,
   I'm not a person, but I tell all.
   What am I?

4. My wire goes everywhere and
   my word reaches far and wide.
   What am I?

5. Winter and summer
   I stay the same colour.
   What am I?

6. Born in water, yet
   afraid of water.
   What is it?

7. **Сиди́т на ло́жке, све́сив но́жки.**

(лапша́)

8. **Сиди́т дед**
во сто́ шуб оде́т,
кто его́ раздева́ет,
тот слёзы пролива́ет.

(лук)

9. **В воде́ иску-па́ется — сухо́й оста́-нется.**

(гусь)

10. **На се́не ле-жи́т, сама́ не е́ст и други́м не даёт.**

(соба́ка)

11. **Кто на себе́ дом во́зит?**

(ули́тка)

12. **Кра́сная де́вушка по́ небу хо́дит.**

(со́лнце)

13. **Бе́лая ска́-терть всё по́-ле покры́ла.**

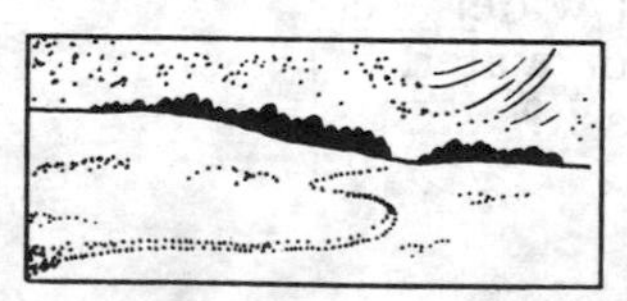

(снег)

7. On a spoon it sits
legs dangling.
What is it?

8. A little old man sits
dressed in a hundred coats.
Take them off, just try!
You're sure to cry.
What is he?

9. He swims in the water,
yet doesn't get wetter.
What is he?

10. He lies in the manger
not eating the hay,
but doesn't let others, either.
What is he?

11. Who is it carries his home on his back?

12. A dazzling maiden
makes her way through the heavens.
What is she?

13. A white tablecloth lies
covering all around.
What is it?

Алфави́т

Аа Бб Вв Гг Дд Ее Ёё Жж Зз Ии
Йй Кк Лл Мм Нн Оо Пп Рр Сс Тт
Уу Фф Хх Чч Шш Щщ Ъъ Ыы Ьь
Ээ Юю Яя

LIST OF ABBREVIATIONS

adj., *adjective*
arch., archaic
book., bookish
coll., colloquial
dial., dialect
elev., elevated
esp., especially
fig., figurative
folk-poet., folk-poetic
hist., history
impers., impersonal
lit., literally
obs., obsolete
phrase., phraseology
pop., popular
sing., singular

ГЛАВА́ 2

Я не зна́ю ничего́ бо́лее бли́зкого мне, чем на́ши просты́е ру́сские лю́ди, и ничего́ бо́лее прекра́сного, чем на́ша земля́.

К. Паусто́вский

CHAPTER 2

I know of nothing dearer to me than our ordinary Russian people, nor anything more beautiful than our land.

K. Paustovsky

2-01327

Н. Рыле́нков

Куда́ ни посмо́тришь — родны́е,
Откры́тые се́рдцу края́.
Я весь пред тобо́ю, Росси́я,
Судьба́ моя́, со́весть моя́...

судьба́, fate
со́весть, conscience

ВЕСНО́Й

У берёзы ста́ли набуха́ть по́чки. И полéзли из ни́х зелёные язычки́. Ты́сячи. Из ка́ждой по́чки вы́лез язычо́к. Я глядéл и ра́довался. Она́ была́ мне нужна́, э́та берёза, я привы́к к ней. Она́ всегда́ стоя́ла перед мои́м окно́м.

По С. Воро́нину

набуха́ть, to swell
по́чки (*sing.* по́чка), buds

МА́РТОВСКАЯ КАПЕ́ЛЬ

Си́нее нéбо. Си́ние тéни. Си́няя тишина́. И му́зыка... «Тень, тень, тень!» Звеня́т ка́пли. На берёзу опусти́лся грач и на́чал свою́ пéсню. Ра́достную мело́дию весны́.

Хорошо́ в подмоско́вном лесу́!

Прислу́шайтесь к зву́кам весе́нней му́зыки. Све́рху капе́ль всё ча́ще и ча́ще. «Тень-тень-те́нь» — па́дают све́тлые ка́пельки. Стека́ет вода́. Нагни́сь и напьёшься. Как в ска́зке.

По В. Песко́ву

ма́ртовская (*from* март), March (*adj.*)
капе́ль, drip of thawing snow
подмоско́вный лес, a forest near Moscow

БЕСКОРЫ́СТИЕ

Неуже́ли мы должны́ люби́ть свою́ зе́млю то́лько за то́, что она́ бога́та, что она́ даёт оби́льные урожа́и и приро́дные её си́лы мо́жно испо́льзовать для на́шего благосостоя́ния!

Не то́лько за э́то мы лю́бим родны́е места́. Мы лю́бим их ещё за то́, что, да́же небога́тые, они́ для на́с прекра́сны.

По К. Паусто́вскому

С. Марша́к

Апре́льский дождь прошёл впервы́е,
Но ве́тер облака́ унёс,
Оста́вив ка́пли огневы́е
На го́лых ве́точках берёз.

Ещё весно́ю не оде́та
В наря́д из молодо́й листвы́,
Берёза ка́пельками све́та
Сверка́ла с ног до головы́.

о́блако, cloud

оста́вив (*from* оста́вить), having left
огневы́е (*from* ого́нь), fiery; *here:* glistening in the sun
наря́д, costume, outfit
с ног до головы́, from top to toe

А. Ахма́това

Перед весно́й быва́ют дни таки́е:
Под пло́тным сне́гом отдыха́ет луг,
Шумя́т дере́вья ве́село-сухи́е,
И тёплый ве́тер не́жен и упру́г.
И лёгкости свое́й диви́тся те́ло,
И до́ма своего́ не узнаёшь,
И пе́сню ту, что пре́жде надое́ла,
Как но́вую, с волне́нием поёшь.

пло́тный, thick, firm
луг, meadow
упру́г, упру́гий, springy
диви́ться (*coll.*), to be surprised
надое́сть, to bore, get on one's nerves

ЛЕ́ТОМ

Берёза защища́ет меня́. Мой дом сто́ит ме́трах в ста от доро́ги. По доро́ге иду́т маши́ны: грузовики́, легковы́е, авто́бусы, самосва́лы, тра́кторы. Их со́тни. Пыль лети́т к моему́ до́му. Берёза всю э́ту пыль берёт на себя́.

Ле́том берёза вся в со́лнце, и листва́ у неё я́ркая, со́чная, и ве́тви расту́т, налива́ются си́лой и стано́вятся про́чными.

По С. Воро́нину

ме́трах в ста от доро́ги, about a hundred metres from the road
грузови́к, lorry
легково́й, saloon car
самосва́л, tip-up truck
Их со́тни. Hundreds of them.
берёт на себя́, *lit.* takes upon itself, accepts

А. Сурко́в

ГРИБНО́Й ДОЖДЬ

Не торопи́сь, не спеши́, подождём.
Забу́дем на ми́г неотло́жное де́ло.
Смотри́: ожила́ трава́ под дождём
И ста́рое де́рево помолоде́ло.

И ка́мни, и тра́вы пою́т под дождём,
Блестя́т серебро́м озёрные во́ды.
Не торопи́сь, не беги́, подождём,
Послу́шаем ла́сковый го́лос приро́ды.

торопи́сь *from* торопи́ться, to hurry
неотло́жное, urgent
помолоде́л *from* помолоде́ть, to grow young again
озёрные во́ды, the waters of the lake
ла́сковый, affectionate, tender

В. Соколо́в

Как я хочу́, чтоб стро́чки э́ти
Забы́ли, что они́ слова́,
А ста́ли — не́бо, кры́ши, ве́тер,
Сыры́х бульва́ров дерева́.

Чтоб из распа́хнутой страни́цы,
Как из откры́того окна́,
Разда́лся свет, запе́ли пти́цы,
Дохну́ла жи́зни глубина́.

сыро́й, damp
бульва́р, avenue, boulevard
дерева́, trees
распа́хнутая, open
разда́лся, appeared, flooded in
дохну́ла жи́зни глубина́, life's breath appeared

М. Цвета́ева

Август — а́стры,
Август — звёзды,
Август — гро́зди
Виногра́да и ряби́ны
Ржа́вой — а́вгуст!

Ме́сяц по́здних поцелу́ев,
По́здних роз и мо́лний по́здних!
Ли́вней звёздных —
Август — ме́сяц
Ли́вней звёздных!

а́стра, aster (*a plant*)
гро́зди ... ряби́ны ржа́вой, clusters of red rowan-berries; ржа́вая, dark red (*of colour*)
ме́сяц ... ли́вней звёздных, the month of shooting stars; ли́вень, *lit.* heavy rain

К. Ба́льмонт

ОСЕНЬ

Поспева́ет брусни́ка,
Ста́ли дни холодне́е,

И от пти́чьего кри́ка
В се́рдце то́лько грустне́е.

Ста́и птиц улета́ют
Прочь за си́нее мо́ре.
Все дере́вья блиста́ют
В разноцве́тном убо́ре.

Со́лнце ре́же смеётся,
Нет в цвета́х благово́нья.
Ско́ро о́сень проснётся —
И запла́чет спросо́нья.

поспева́ть (*coll.*), to ripen
брусни́ка, bilberry
ста́я, flock
прочь, away
блиста́ют *from* блиста́ть, to shine
убо́р (*obs.*), attire
благово́нье (*book.*), fragrance
спросо́нья (*coll.*), half-awake

ОСЕНЬЮ

Ста́ла желте́ть листва́. Пошли́ дожди́. Всё ста́ло мо́крым.

Я просну́лся но́чью. Бы́ло темно́ в ко́мнате. Как ти́хо!.. Нау́тро уда́рил за́морозок. Пото́м ещё бы́ли за́морозки, и вокру́г берёзы золоты́м кольцо́м улегла́сь листва́. Дере́вья оголи́лись, вы́глянуло со́лнце. Совсе́м неда́вно всё сверка́ло, цвело́. Всё бы́ло прекра́сно и жизнера́достно и вдруг исче́зло.

Бу́дут идти́ дожди́, бу́дет черне́ть листва́. Улетя́т пти́цы. Потя́нутся дли́нные но́чи. Зимо́й они́ бу́дут ещё длинне́е. Заво́ют мете́ли. Уда́рят моро́зы...

По С. Воро́нину

нау́тро, next morning
уда́рил за́морозок, the frost had come
оголи́лись *from* оголи́ться, to be stripped of leaves
вы́глянуло *from* вы́глянуть, to peep out
жизнера́достно, vivacious
заво́ют *from* завы́ть, to begin to howl

В. Луговско́й

Над необъя́тной Ру́сью
С озёрами на дне́
Загогота́ли гу́си
В зелёной вышине́.

Заря́ огнём холо́дным
Позолоти́ла их.
Летя́т они́ свобо́дно,
Как ста́рый ру́сский стих.

Под кры́льями туги́ми
Земля́ ясны́м-ясна́.
Мильо́ны лет за ни́ми
Стреми́лась к нам весна́.

Ины́х из ни́х рассе́ют
Разлу́ка, смерть, беда́,
Но путь весны́ — на се́вер!
На се́вер, как всегда́.

необъя́тная, immense
о́зеро, lake

загоготáли *from* гоготáть, to cackle (*of geese*)
зарЯ́, dawn; dusk
позолотИ́ть, to gild
тугИ́е, taut
яснЫ́м-яснá, very distinct
стремИ́лась *from* стремИ́ться, to speed
рассéют *from* рассéять, to disperse
разлУ́ка, separation

Б. Пастернáк

СНЕГ ИДЁТ

Снег идёт, снег идёт.
К бéлым звёздочкам в бурáне
ТЯ́нутся цветЫ́ герáни
За окóнный переплёт.

Снег идёт, и всё в смятéнье,
Всё пускáется в полёт, —
Чёрной лéстницы ступéни,
Перекрёстка поворóт.

Снег идёт, снег идёт,
Слóвно пáдают не хлóпья,
А в заплáтанном салóпе
Схóдит нáземь небосвóд.

Слóвно с вИ́дом чудакá,
С вéрхней лéстничной площáдки,
Крáдучись, игрáя в прЯ́тки,
Схóдит нéбо с чердакá...

бурáн, snow-storm
герáнь, geranium
окóнный переплёт, window-frame

смяте́нье, смяте́ние, commotion
пуска́ется в полёт, starts flying
чёрная ле́стница, backstairs
перекрёсток, crossroads
хло́пья, *here:* snowflakes
запла́танный, patched
сало́п (*obs.*), wide women's coat
на́земь, to the ground
небосво́д, the vault of heaven
чуда́к, eccentric person
кра́дучись *from* кра́сться, to steal, creep (somewhere)
игра́ в пря́тки, hide-and-seek
черда́к, loft

В. Песко́в

ДВА МАЛЕНЬКИХ МАЛЬЧИКА У ГЛО́БУСА

— Земля́?
— Земля́.
Этот диало́г я услы́шал в до́ме, где рабо́тают геофи́зики. По ковру́ спеши́ли учёные, сторожи́ха вяза́ла чуло́к, за окно́м па́дал снег...
Дво́е откры́ли зе́млю.
— Это Москва́, э́то по́люс.
Ти́кают часы́, за две́рью спо́рят учёные..
Незаме́тно промелькну́т го́ды, э́ти дво́е уви́дят настоя́щую, в голубо́й ды́мке плане́ту.
Дво́е нагну́тся к иллюмина́тору корабля́:
— Земля́?
— Земля́. На́ша Земля́.
Та́ет снег на ва́ленках малыше́й, сторожи́ха вя́жет чуло́к. За две́рью — спо́рят учёные. Стуча́т часы́.

диало́г, exchange, dialogue
геофи́зик, geophysicist
вяза́ла *from* вяза́ть, to knit
ти́кают *from* ти́кать, to tick (*of clocks*)
промелькну́т *from* промелькну́ть, to fly by
иллюмина́тор, porthole
та́ет *from* та́ять, to melt

Дорого́й чита́тель!

В э́том разде́ле Вы прочита́ли о ра́зных времена́х го́да. Напомина́ют ли они́ Вам времена́ го́да в Ва́шей стране́?

ГЛАВА́ 3

Позна́ние Росси́и — увлека́тельнейшая из нау́к.

М. Го́рький

CHAPTER 3

The study of Russia is the most fascinating of subjects.

M. Gorky

МОЯ́ РО́ДИНА

(Из воспомина́ний де́тства)

Мать моя́ встава́ла ра́но, до со́лнца. Я одна́жды встал то́же до со́лнца. Мать угости́ла меня́ ча́ем с молоко́м. Молоко́ э́то кипяти́лось в гли́няном горшо́чке и све́рху всегда́ покрыва́лось румя́ной пе́нкой, а под э́той пе́нкой оно́ бы́ло необыкнове́нно вку́сное, и чай от него́ де́лался прекра́сным.

Я на́чал встава́ть до со́лнца, что́бы напи́ться с ма́мой вку́сного ча́ю. Ма́ло-пома́лу я к э́тому у́треннему встава́нию так привы́к, что уже́ не мо́г проспа́ть восхо́д со́лнца.

И ча́сто я ду́маю: е́сли бы мы так для рабо́ты свое́й поднима́лись с со́лнцем! Ско́лько бы тогда́ у людей́ при́было здоро́вья, ра́дости, жи́зни и сча́стья!

Мы хозя́ева на́шей приро́ды, и она́ для на́с кладова́я со́лнца с вели́кими сокро́вищами жи́зни.

Ры́бе — вода́, пти́це — во́здух, зве́рю — лес, степь, го́ры. А челове́ку нужна́ ро́дина.

По М. При́швину

угости́ла *from* угости́ть, угоща́ть, to treat to; to feed
кипяти́лось *from* кипяти́ться, to boil
гли́няный горшо́чек, earthenware pot
румя́ная пе́нка, rosy foam
ма́ло-пома́лу, little by little, gradually
встава́ние, rising, getting up

проспа́ть, to sleep through, to miss
при́было *from* прибыва́ть, to grow
кладова́я со́лнца, the sun's storeroom
сокро́вище, treasure

ТЕРРИТО́РИЯ. ГРАНИ́ЦЫ

Террито́рия СССР занима́ет шесту́ю часть земно́й су́ши. Не со стра́нами, а с матери-ка́ми ле́гче её сра́внивать: она́ не́сколько ме́ньше Африки, но бо́льше Южной Аме́рики, втро́е превыша́ет террито́рию Австра́лии.

Грани́цы. СССР име́ет сухопу́тные грани́цы с 12 госуда́рствами. На за́паде э́то Норве́гия, Финля́ндия, ПНР, ЧССР, ВНР, СРР, на ю́ге Ту́рция, Ира́н, Афганиста́н, на восто́ке КНР, МНР и КНДР.

Territory of the USSR It occupies one sixth of the world's dry land. It is easier to compare it not to countries, but to continents: it is a little smaller than Africa, but larger than South America and three times the size of Australia.

Borders The USSR has land borders with twelve countries. To the West are Norway, Finland, the Polish People's Republic, the Czechoslovak Socialist Republic, the Hungarian People's Republic, and the Socialist Republic of Rumania. To the South —Turkey, Iran, and Afghanistan. While to the East lie the Chinese People's Republic, the Mongolian People's Republic, and the Korean People's Democratic Republic.

ГО́РЫ

На го́ры, как и на мо́ре, мо́жно смотре́ть и смотре́ть. Они́ бы́ли всегда́ и всегда́ бу́дут. Тро́гая ка́мни, ты тро́гаешь Ве́чность.

Внизу́ ли́ственные леса́. Над ни́ми леса́ тёмные, хво́йные. Ещё вы́ше — го́рные сте́пи, пёстрые альпи́йские луга́. Над луга́ми вознесли́сь ска́лы. А на са́мом верху́, вы́ше скал и облако́в, ве́чные снега́.

Всё в гора́х необы́чно. Облака́ и пти́цы пролета́ют глубоко́ под нога́ми, а ре́ки и водопа́ды шумя́т высоко́ над голово́й. Внизу́ хле́щет дождь, а наверху́ све́тит со́лнце. Внизу́ жа́ркое ле́то, наверху́ моро́зная зима́. И от зимы́ до ле́та руко́й пода́ть.

В гора́х мо́жно подня́ться так высоко́, что си́нее не́бо ля́жет тебе́ на пле́чи. И до звёзд пока́жется бли́же, чем до огне́й в глубо́ких доли́нах.

По Н. Сладко́ву

ве́чность, eternity
ли́ственные леса́, deciduous forests
хво́йные леса́, coniferous forests
ска́лы, cliffs
хле́щет *from* хлеста́ть, to lash down
руко́й пода́ть, very near, close
пока́жется *from* показа́ться, to seem
доли́ны, valleys

Равни́ны и го́ры

Равни́ны в СССР простира́ются на ты́сячи киломе́тров. Обши́рные равни́ны спосо́бствовали разви́тию

Plains and Mountains

The plains in the USSR stretch for thousands of kilometres. The vast plains help

земледе́лия. Теку́щие по равни́нам споко́йные ре́ки удо́бны для судохо́дства.

Среди́ гор Сове́тского Сою́за есть молоды́е по сравне́нию с во́зрастом Земли́, таки́е, как Кавка́зские; есть и о́чень дре́вние, таки́е, как Ура́льские. Есть го́ры ни́зкие, как, наприме́р, го́ры Да́льнего Восто́ка, но есть и таки́е, как Пами́р, Тянь-Ша́нь, где верши́ны уве́нчаны сне́гом и ве́чным льдом.

На Камча́тке нахо́дятся са́мые высо́кие в Евро́пе и Азии вулка́ны.

В гора́х име́ются благоприя́тные усло́вия для разви́тия животново́дства. На го́рных скло́нах располага́ются лу́чшие луга́ для скота́: всё ле́то го́ры покры́ты со́чной траво́й. Через круты́е го́ры во мно́гих места́х проло́жены шоссе́.

in the development of agriculture. The rivers flowing through the plains are navigable.

Among the mountains of the Soviet Union are young mountains, by comparison with the age of the Earth, such as the Caucasus; and there are very old ones, for example the Urals. There are low mountains such as those in the Far East, but there are also mountains including the Pamirs and Tian-Shan whose peaks are topped by snow and eternal ice.

Kamchatka has the highest volcanoes in Europe and Asia.

Conditions are favourable in the mountains for animal husbandry. The best cattle grazing meadows are situated on the mountain slopes, because all summer the mountains are carpeted in rich grass. Highways have been built in many places through the steep mountains.

МО́РЕ

Я лете́л самолётом. Я негро́мко засмея́лся, уви́дев Чёрное мо́ре.

Больша́я тёплая вода́. Я зарыва́лся в неё. Уходи́л лицо́м ко дну́, к её зелёным камня́м. Пил сухо́е вино́. Ел виногра́д. И гляде́л на мо́ре. На ча́ек, на ве́чно голо́дных ча́ек. И сно́ва уходи́л в тёплую во́ду. Зарыва́лся в горя́чий песо́к. Ря́дом со мно́й смея́лись, шути́ли, иска́ли на берегу́ разноцве́тные ка́мешки ...

По С. Воро́нину

я зарыва́лся в неё, *here:* I dived in
ча́йка, seagull
зарыва́лся в песо́к, (I) buried myself in the sand

Моря́

СССР — вели́кая морска́я держа́ва. Сове́тскую страну́ с трёх сторо́н омыва́ют во́ды 12 море́й.

Чёрное мо́ре и зимо́й не замерза́ет, в Ка́рском мо́ре и ле́том пла́вают льди́ны, а в Азо́вском мо́ре ве́рхний слой воды́ ле́том нагрева́ется до +30 °С.

По моря́м Се́верного Ледови́того океа́на прохо́дит тра́сса Се́-

Seas

The USSR is a great sea power. The waters of twelve seas wash the shores of the country on three sides.

The Black Sea does not freeze even in winter, the Kara Sea has ice floating in it during the summer, and the surface water of the Sea of Azov reaches temperatures of up to 30°C in summer.

The Northern Sea

3-01327

верного морско́го пути́. По нему́ иду́т гру́зы в се́верные райо́ны Сиби́ри и обра́тно. Ра́ньше э́ти места́ бы́ли соверше́нно ото́рваны от остально́го ми́ра. Что́бы созда́ть на Кра́йнем Се́вере регуля́рно де́йствующий морско́й путь, бы́ли затра́чены огро́мные уси́лия.

Сове́тские корабли́, торго́вые и рыболо́вные, проложи́ли путь в далёкие моря́ и океа́ны — вплоть до берего́в Антаркти́ды

Route is used by ships between the European part of the USSR and the Far East. Cargoes are transported via this route to the northern Siberian regions and back again. Previously these parts were completely isolated from the rest of the world. Great effort was expended to create a regularly functioning sea route in the Far North.

Soviet vessels, both cargo and fishing, have voyaged to distant seas and oceans—right to the shores of Antarctica.

Е. Дво́рников

У ИСТО́КА

Стоя́л сентя́брь, доро́га была́ вла́жной. Около са́мой дере́вни далеко́ просма́тривались окре́стности. В низи́нке текла́ Во́лга.

Нет, э́то ещё не нача́ло. Но оно́ уже́ совсе́м бли́зко. Я всма́тривался в лес и вспомина́л слова́ учи́теля геогра́фии: «Хотя́ бы одна́жды приди́те на исто́к Во́лги».

К исто́ку на́до идти́, а не е́хать. Ну́жно услы́шать тишину́ холмо́в, напо́лниться споко́йствием да́лей, соедини́ть в своём се́рдце зе́млю и не́бо воеди́но. И хотя́ б на ми́г предста́вить бесконе́чный путь Во́лги — через всю́ страну́ и исто́рию на́шу.

Поду́май, челове́к, о жи́зни, её нача́лах. Тебе́ откро́ется одна́ из просты́х и волну́ющих и́стин: всё с чего́-то начина́ется. В ничто́жно ма́лом просту́пит вели́кое.

Доро́га опуска́ется вниз. Вот и показа́лась часо́венка. Подхо́дим к мра́морной плите́: «Здесь из родника́ у села́ Волговерхо́вье берёт нача́ло вели́кая ру́сская река́ Во́лга. Исто́к охраня́ется госуда́рством».

Прохо́дим внутрь часо́вни. Полукру́глый вы́рез с тёмной водо́й. Мо́жно до́лго смотре́ть вглубь. Лишь и́зредка на пове́рхности пока́жется и ло́пнет кро́шечный пузырёк во́здуха. Нача́ло...

Вокру́г — за́росли дере́вьев. И тишина́. Как бу́дто сама́ Росси́я склони́лась к Во́лге, боя́сь нару́шить её некре́пкий младе́нческий сон.

«Приве́т тебе́, колыбе́ль родно́й мое́й реки́. Ведь я ру́сский и люблю́ э́то ме́сто, как Ленингра́д, как Москву́, как на́ше...»

«Нача́ло! Ма́ленькое ты, а како́е большо́е!»

исто́к, source
вла́жная, wet, damp
окре́стность, surrounding area
низи́нка, hollow, depression
холм, hill
соедини́ть ... воеди́но, merge
предста́вить, *here:* visualise
бесконе́чный, endless
ничто́жно ма́лое, tiny, insignificant
проступи́ть, to appear
опуска́ется, goes down, dips

часо́венка, *here:* well-house
охраня́ется *from* охраня́ть, to be protected
вы́рез, *here:* aperture
до́лго, for a long time
вглубь, into the depths
ло́пнет *from* ло́пнуть, to burst
кро́шечный, tiny, minute
пузырёк во́здуха, bubble
склони́ться, to bow down to, to bend over
нару́шить ... сон, to disturb smb.'s sleep

Ре́ки	**Rivers**
В СССР о́коло трёх миллио́нов рек. Большинство́ их принадлежи́т бассе́йну Се́верного Ледови́того океа́на: Се́верная Двина́, Обь, Ирты́ш, Енисе́й, Ле́на и други́е. В Ти́хий океа́н стека́ются все ре́ки Да́льнего Восто́ка: Аму́р, Ана́дырь и други́е. Ре́ки Днепр, Дуна́й, Днестр впада́ют в Чёрное мо́ре; Дон, Куба́нь — в Азо́вское; Нева́, За́падная Двина́ — в Балти́йское мо́ре.	There are around three million rivers in the USSR. Most of them belong to the basin of the Arctic Ocean: the Northern Dvina, Ob, Irtysh, Yenisei, Lena, etc. All the rivers of the Far East flow out into the Pacific: the Amur, Anadyr and others. The Dnieper, Danube and Dniester enter the Black Sea; the Don and Kuban flow into the Sea of Azov; while the Neva and Western Dvina empty into the Baltic.
Са́мая кру́пная река́ Европе́йской ча́сти СССР — Во́лга. Она́ впада́ет в Каспи́йское мо́ре. Её длина́ 3 530 киломе́тров. У неё	The largest river in the European part of the USSR is the Volga. It enters the Caspian Sea. It is 3,530 kilometres in length, and

о́коло 200 прито́ков. На её берега́х распо-ло́жены мно́гие кру́п-ные города́.	has around 200 tribu-taries. Many important towns are situated on its banks.

ВСТРЕ́ЧА С БАЙКА́ЛОМ

Байка́л. Хоте́лось знать как мо́жно бо́льше об э́том са́мом глубо́ком, са́мом холо́дном, са́мом чи́стом и са́мом пе́сенном о́зере. «Две́сти рек впа-да́ет, и одна́ вытека́ет...» «На дне́ ка́мни видны́...» И вот.

— Байка́л! — Шофёр откры́л две́рцу и по-смотре́л с таки́м ви́дом, бу́дто он привёз го́стя к себе́ в дом и с ра́достью пока́зывает всё.

Хо́лодом ве́ет. Стои́м, сняв ша́пки. Чи́стая, как слеза́, вода́. Холо́дная синева́.

По В. Песко́ву

пе́сенное о́зеро, most sung-of lake
впада́ть, to flow into
дно, bottom
ве́ет *from* ве́ять (*impers.*), to blow (*of wind*)
синева́, blueness

Озёра	**Lakes**
В СССР насчи́ты-вается о́коло трёх мил-лио́нов озёр. Большин-ство́ из ни́х отно́сится к числу́ ма́лых (ме́нее 1 кв. км пло́щадью).	There are around three million lakes in the Soviet Union. Most are considered small (less than 1 sq. km. in area).
На террито́рии СССР располо́жена бо́льшая часть са́мого	Situated largely on the territory of the USSR is the biggest lake

большóго óзера земнóго шáра, настóлько большóго, что егó называ́ют мóрем. Это Каспи́йское мóре.

Вторóе по величинé óзеро — э́то Ара́льское мóре.

Богáт озёрами сéверо - зáпад СССР. Здесь сáмые крýпные озёра: Лáдожское, Онéжское, Чудскóе, Ильмень.

В горáх лежáт гóрные озёра. Из ни́х осóбенно знамени́то óзеро Байкáл. Это сáмое глубóкое óзеро земнóго шáра, егó глубинá — 1620 м. В Байкáле холóдная, кристáльно чи́стая прéсная водá. По плóщади óзеро во мнóго раз мéньше Балти́йского мóря, но по объёму воды́ превосхóдит егó. Из други́х гóрных озёр сáмые крýпные — Иссык-Кýль в Кирги́зии и Севáн в Армéнии.

in the world, so big, in fact, that it is called a sea. This is the Caspian Sea.

The second largest lake is the Aral Sea.

The North-West of the USSR is well endowed with lakes, and it is there that the largest ones are to be found: lakes Ladoga, Onega, Ilmen and Chudskoe.

Mountain lakes lie in the uplands. Most famous among them is Lake Baikal. It is the deepest lake in the world with a depth of 1,620 metres. The water in Baikal is cold, crystal-clear and fresh. In area the lake is many times smaller than the Baltic Sea, but in volume of water it exceeds it. The largest of the remaining mountain lakes are Issyk Kul, in Kirgizia, and Sevan, in Armenia.

ПУСТЫ́НЯ

Пусты́ня — э́то жёлтое и голубо́е.

Голубо́е вверху́ — не́бо. А жёлтое вокру́г — впереди́, позади́, спра́ва, сле́ва. Земля́, опалённая со́лнцем...

И жара́...

Раскалённый песо́к жжёт сквозь подо́швы.

В пусты́не всё неприны́чно и непоня́тно.

Проливны́е дожди́, кото́рые высыха́ют, не долета́я до земли́. Дере́вья, под кото́рыми нет те́ни. Хоро́шей пого́дой называ́ют не со́лнечную и суху́ю, а па́смурную и дождли́вую. Зонт защища́ет тут не от дождя́, а от со́лнца.

Идёшь. Стру́йки песка́ засыпа́ют позади́ твой след...

По Н. Сладко́ву

опалённая (*from* опали́ть), baked
раскалённый (*from* раскали́ть), scorching
жжёт *from* жечь, to burn
подо́швы, soles (of shoes)
проливны́е дожди́, pouring rain
высыха́ют *from* высыха́ть, to dry up, to evaporate
долета́я *from* долета́ть, to reach
па́смурная, overcast
засыпа́ют *from* засыпа́ть, to cover (with sand)

Есть в СССР зо́ны пусты́нь и полупусты́нь — среди́ равни́н Сре́дней Азии и Казахста́на. Здесь выпада́ет ме́нее 200 мм оса́дков в год.

In the USSR, among the plains of Central Asia and Kazakhstan, there are zones of desert and semi-desert, which have an annual rainfall of less than 200 mm.

Л. Марты́нов

ДЕРЕ́ВЬЯ

— Как ва́ше здоро́вье, — спроси́л я,—дере́вья?—
Дере́вья молча́ли внача́ле.
Вдруг скри́пнула и́ва:
— Здоро́ва! —
И со́сны ворчли́во:
— Мы жи́вы!..

скри́пнула *from* скри́пнуть, to creak
ворчли́во, querulously

Бо́льшая часть терри́тории СССР располага́ется в уме́ренном по́ясе. В стране́ мно́го лесо́в, и в Европе́йской ча́сти, и в Сиби́ри, и на Да́льнем Восто́ке.

A large part of the territory of the USSR lies in a temperate zone. There are many forests in the country — in the European part, Siberia and in the Far East.

ПРОЩА́НИЕ С ЛЕ́СОМ

Весь а́вгуст и сентя́брь в лесу́ не умолка́ли голоса́. Мно́го бы́ло грибо́в. Ехали в поезда́х, на маши́нах, мотоци́клах, велосипе́дах — и всем хвата́ло. И дли́лось э́то до́лго, пока́ не уда́рил за́морозок. И сра́зу в лесу́ зати́хло. А дни по́сле э́того установи́лись сухи́е, со́лнечные, ти́хие. Сно́ва потяну́ло в лес.

В после́дний раз в э́том году́ мне захоте́лось побыва́ть там.

По С. Воро́нину

умолка́ли *from* умолка́ть, to fall silent
установи́лись *from* установи́ться, to set in
потяну́ло *from* потяну́ть, to draw

ТОРОПИ́ТЕСЬ НА ПРА́ЗДНИК

На э́тот пра́здник не ну́жен биле́т. Сади́тесь в авто́бус, а лу́чше пешко́м. Пора́ньше из до́ма, тогда́ весь пра́здник — ваш.

Вы уви́дите со́лнце над реко́й, уви́дите росу́ на ли́стьях.

Слу́шайте тишину́.

Паути́на на ве́тках. У горя́щего клёна гре́ют ла́пы ёлочки. Под кусто́м — за́яц. Сча́стье за́йца, что вы не охо́тник.

Под ве́чер прися́дете на ста́ром пеньке́. Сла́ще мёда хлеб с брусни́кой. А когда́ нагнётесь к ручью́ напи́ться, вы уви́дите лицо́ помолоде́вшего челове́ка. Он улыбнётся: хороша́ жизнь!

По В. Песко́ву

роса́, dew
паути́на, cobweb
ве́тка, twig
горя́щий, *here fig.:* blazing
клён, maple
ла́пы, *play on words:* paws of an animal and boughs of a fir-tree
на пеньке́, на пне́, on the stump
сла́ще (*from* сла́дкий), sweeter
брусни́ка, red whortleberries
нагнётесь *from* нагну́ться, to stoop
помолоде́вший, having grown younger

ЛИ́СТЬЯ ПА́ДАЮТ С КЛЁНОВ

Волше́бная о́сень па́рков. Ти́хо. Чуть-чу́ть сырова́то. Ли́стья отрыва́ются и сло́вно повиса́ют. До́лго-до́лго па́дают клено́вые ли́стья. Как хоро́ши́!

Прошли́ дво́е. Во́лосы тро́нуты и́неем. Мо́жет быть, в э́том па́рке и реши́ли они́ идти́ по жи́зни ря́дом. Па́дают ли́стья.

Ребяти́шки бе́гают. В рука́х у мальчи́шек и девчо́нок буке́ты о́гненных ли́стьев. Ка́жется, ли́стья па́дают не беззву́чно. Бом-бо́м! Оди́н лист, друго́й, тре́тий! Стро́йная му́зыка в па́рке.

Оди́н ли я слы́шу?

Нет. Вот де́вочка подняла́ го́лову, блестя́щими глаза́ми провожа́ет ли́стья. Ря́дом же́нщина. Кни́га. Но она́ не чита́ет. Она́ слу́шает. Му́зыка листопа́да.

По В. Песко́ву

сырова́то, a bit damp
сло́вно, just as if
тро́нуты и́неем, frost-whitened; greying
идти́ по жи́зни ря́дом, to go through life together, to get married
блестя́щие, shining
листопа́д, (autumn) fall of the leaves

ДЕРЕ́ВЬЯ

Вхо́дишь в лес и гла́дишь ладо́нью дере́вья. Стволы́ тёплые, как те́ло живо́е: чуть пока́чиваются, бу́дто ды́шат...

А верши́ны гудя́т то гро́зно, то ла́сково.

К стволу́ прислони́шься, как к плечу́ дру́га.

Плечо́ гла́дкое, ско́льзкое — молода́я берёзка.

А то всё в пупы́рышках — э́то оси́на. Или изборождённое, изморщи́ненное, как ко́жа слона́. Это кора́ ду́ба.

Всю жизнь с дере́вьями плечо́м к плечу́. И хо́чется сти́снуть ладо́нями их ру́ки-ве́тви и кре́пко пожа́ть.

По Н. Сладко́ву

гла́дить ладо́нью, to stroke
пока́чиваются *from* пока́чиваться, to sway a little
бу́дто, as though
верши́ны, tops
гудя́т *from* гуде́ть, to hum
гро́зно, threateningly
ла́сково, tenderly
прислони́шься *from* прислони́ться, to lean against
ско́льзкое, slippery
пупы́рышки *(coll.)*, pimples
оси́на, aspen
изборождённое, изморщи́ненное, *here:* lined, wrinkled
слон, elephant
дуб, oak
плечо́м к плечу́, side by side
сти́снуть, to squeeze
пожа́ть, to squeeze, shake hands

ОСЕНЬ В ЛЕСУ́

Всё неузнава́емо измени́лось.*

Я стоя́л и гляде́л. Краси́ва на́ша се́верная о́сень! Не оторва́ть взгля́да.* Але́ет* оси́на. Заче́м э́то ей? Заче́м э́то ей о́сенью, перед сно́м, така́я красота́? Не зна́ю. Но ей, наве́рное, на́до...

Как ти́хо!.. И как светло́!.. Как прозра́чен* стал лес! Он совсе́м друго́й, чем ле́том. Вре́мя принесёт хо́лод, на́до собра́ться с си́лами, что́бы вы́стоять*. На́до гото́виться, и он гото́вился. Лес был за́нят свои́м де́лом. И я боя́лся нару́шить его́ поко́й*.

Я шёл, остана́вливался, смотре́л на э́ту ве́чную красоту́, и не мо́г нагляде́ться*, и чу́вствовал, что во мне́ происхо́дит что́-то хоро́шее, что мне отра́дно* среди́ прити́хших* дере́вьев, от ни́х идёт ко мне́ споко́йствие; мра́чные* мы́сли, страх перед неизбе́жным*, кото́рый вре́мя от вре́мени угнета́ет* меня́, здесь стано́вится нестра́шным.

Я останови́лся и оки́нул проща́льным* взгля́дом весь лес.

— Проща́й! — кри́кнул я.

По С. Воро́нину

Всё неузнава́емо измени́лось, Everything has changed out of all recognition
Не оторва́ть взгля́да. You can't stop looking at it.
але́ет *from* але́ть, to turn red
прозра́чен *from* прозра́чный, clear, transparent
вы́стоять, to stand it
нару́шить поко́й, to upset the serenity
нагляде́ться, to tire of seeing
отра́дно, pleasant, comforting
прити́хших *from* прити́хшие, grown quiet
мра́чные, gloomy
неизбе́жное, the inevitable
угнета́ет *from* угнета́ть, to oppress, depress
проща́льный, last, farewell

К. ПАУСТО́ВСКИЙ

ЖЁЛТЫЙ СВЕТ

Я просну́лся у́тром. Ко́мната была́ залита́ жёлтым све́том. Это свети́ли осе́нние ли́стья. За́ ночь сад сбро́сил сухую листву́. Она́ лежа́ла на земле́ и распространя́ла* сия́ние*. От э́того сия́ния ли́ца людей каза́лись загоре́лыми*. Так начала́сь о́сень.

Осень пришла́ внеза́пно*. Так прихо́дит ощуще́ние сча́стья от са́мых незаме́тных* веще́й — от далёкого парохо́дного гудка́ на Оке́* и́ли от случа́йной улы́бки.

Осень пришла́ и завладе́ла* землёй — сада́ми и ре́ками, леса́ми и во́здухом, поля́ми и пти́цами. Всё сра́зу ста́ло осе́нним.

Ка́ждое у́тро в саду́, как на о́строве*, собира́лись перелётные пти́цы*. То́лько днём в саду́ бы́ло ти́хо: пти́цы улета́ли на юг.

Начался́ листопа́д. Ли́стья па́дали дни и но́чи. К концу́ сентября́ сквозь ча́щу* дере́вьев ста́ла видна́ си́няя даль поле́й.

Стари́к Про́хор рассказа́л мне ска́зку об о́сени.

Челове́к вы́думал* по́рох. В да́вние времена́ скова́ли дереве́нские кузнецы́ пе́рвое ружьё, и попа́ло оно́ дураку́. Шёл дура́к ле́сом* и уви́дел, как летя́т жёлтые весёлые пти́цы. Дура́к уда́рил по ни́м из обо́их стволо́в* — и полете́л золото́й пух на зе́млю, упа́л на леса́, и леса́ посо́хли*. А ины́е ли́стья, куда́ попа́ла пти́чья кровь, покрасне́ли. Ви́дел в лесу́ — есть лист жёлтый и есть кра́сный. До того́ вре́мени все пти́цы зимова́ли* у на́с. А леса́ и ле́то и зи́му стоя́ли в ли́стьях, в цвета́х и гриба́х. И сне́га не́ было. Не́ было зимы́. Не́ было. Уби́л дура́к пе́рвую пти́цу — и загрусти́ла земля́. Начали́сь с той поры́ листопа́ды, и мо́края о́сень, и ве́тры, и зи́мы. И пти́ца испуга́лась, оби́делась на человéка. Мы себé навреди́ли, и нáдобно нам ничегó не пóртить, а крéпко берéчь.

— Что берéчь?

— Пти́цу рáзную. Лес. Вóду. Всё береги́.

Я изучáл óсень дóлго.

Я узнáл, что óсень смешáла* все чи́стые крáски, каки́е существýют на землé, и нанеслá их, как на хóлст*, на прострáнства земли́ и нéба.

Я ви́дел листвý áлую, фиолéтовую, кори́чневую, чёрную, сéрую и почти́ бéлую. Дерéвья начинáли желтéть сни́зу: я ви́дел оси́ны, крáсные внизý и совсéм ещё зелёные на верхýшках...

Чáсто óсенью я следи́л за опадáющими ли́стьями, чтóбы поймáть незамéтную дóлю секýнды, когдá лист отделя́ется от вéтки и начинáет пáдать на зéмлю. Но э́то мне дóлго не удавáлось. Я читáл в стáрых кни́гах о тóм, как шуршáт* пáдающие ли́стья, но я никогдá не слы́шал э́того звýка. Ли́стья шуршáли тóлько на землé, под ногáми человéка. Шóрох ли́стьев в вóздухе казáлся мне неправдоподóбным*.

Я был, конéчно, не прáв.

Кáк-то вéчером я вы́шел в сад, к колóдцу. Я постáвил фонáрь и достáл воды́. В ведрé плáвали ли́стья. Они́ бы́ли всю́ду. Вéтер бросáл гóрсти ли́стьев на стóл, на кóйку, нá пол, на кни́ги, а по дорóжкам сáда бы́ло трýдно ходи́ть: приходи́лось идти́ по ли́стьям, как по глубóкому снéгу. Ли́стья мы находи́ли в кармáнах плащéй, в кéпках, в волосáх — всю́ду.

Бывáют осéнние нóчи, когдá безвéтрие* стои́т над леси́стым* крáем.

Былá такáя ночь. Фонáрь освещáл колóдец, стáрый клён.

Я посмотрéл на клён и уви́дел, как осторóжно и мéдленно отдели́лся* от вéтки крáсный лист, вздро́гнул*, на одно́ мгнове́ние останови́лся в во́здухе и на́чал па́дать к мои́м нога́м. Впервы́е я услы́шал ше́лест па́дающего листа́ — нея́сный звук, похо́жий на де́тский шёпот.

Ночь стоя́ла над прити́хшей* землёй. Осе́нние созве́здия* блиста́ли в ведре́ с водо́й. Созве́здия дрожа́ли в воде́ озёр.

Звёздная ночь проходи́ла над землёй.

распространя́ла *from* распространя́ть, to give off, shed
сия́ние, radiance
загоре́лый, suntanned
внеза́пно, suddenly
незаме́тный, insignificant
Ока́, the Oka, a tributary of the Volga
завладе́ла *from* завладе́ть, to take possession of
о́стров, island
перелётные пти́цы, migratory birds
ча́ща, thicket
вы́думал, *here*: invented
ле́сом, through the wood
ствол, *here*: gun barrel
леса́ посо́хли, the foliage withered
зимова́ли, wintered
смеша́ла *from* смеша́ть, to mix, blend
холст, canvas
шурша́ть, to rustle
неправдоподо́бный, unlikely
безве́трие, calm
леси́стый, wooded
отдели́ться, to separate, become detached
вздро́гнуть, to quiver
прити́хшая, silent
созве́здия, constellations

Е. Стюа́рт

Я ра́зную приро́ду понима́ю.
И пыль тропи́нок ра́зных принима́ю.
Но лишь тебя́ я так люблю́ и зна́ю
И ни на что́ вове́к не променя́ю.
Не потому́, что ты прекра́сней мно́гих.
А про́сто ты живёшь в мое́й трево́ге,
В мои́х реше́ниях,
в мои́х круше́ниях
То как опо́ра,
то как утеше́нье.
Ты для меня́ — нача́ло всех нача́л:
Твой ве́тер колыбе́ль мою́ кача́л,
И вручены́ мне до сконча́нья дней
Полы́нь и со́лнце Ро́дины мое́й.

ра́зная, different, various
пыль, dust
вове́к, *here:* never
променя́ть, to change for
круше́ние, ruin; misfortune
опо́ра, support
нача́ло всех нача́л, the beginning of everything
вручены́ (*from* вручи́ть), entrusted
сконча́нье, end
полы́нь, wormwood

Дорого́й чита́тель!

Отме́тьте о́бщие и разли́чные черты́ в явле́ниях приро́ды, опи́санных в кни́ге, с те́ми, кото́рые Вы наблюда́ете в жи́зни приро́ды, окружа́ющей Вас.

Согла́сны ли Вы с утвержде́нием поэ́та: «Я ра́зную приро́ду понима́ю»? Не пра́вда ли: экзоти́ческая приро́да привлека́тельна, а родна́я приро́да — про́сто родна́я!

Однá из стáнций москóвского метрó. Метрó — любúмый трáнспорт москвичéй. Подзéмные зáлы метрó неповторúмы. Онú украшены разнообрáзными светúльниками, скульптýрой, цветовыми паннó.

Моско́вский госуда́рственный университе́т и́мени М. В. Ломоно́сова — крупне́йший вуз СССР. Здесь у́чатся сове́тские и иностра́нные студе́нты, аспира́нты, стажёры.

Москва́. В це́нтре — зда́ние Сове́та Экономи́ческой взаимопо́мощи. Сле́ва — зда́ние Сове́та Мини́стров РСФСР. В перспекти́ве спра́ва — просп́ект Кали́нина.

Кремль. Здесь нахо́дятся прави́тельственные учрежде́ния, Дворе́ц съе́здов, музе́и, па́мятники старины́.

На пере́днем пла́не — древний Покро́вский собо́р, и́здавна называ́емый москвича́ми хра́мом Васи́лия Блаже́нного.

Кра́сная пло́щадь — гла́вная пло́щадь Москвы́ и страны́. На не́й нахо́дится Мавзоле́й В. И. Ле́нина, к кото́рому течёт нескончáемый людско́й пото́к. Спра́ва от Мавзоле́я — Истори́ческий музе́й.

О ГОРОДА́Х

Высо́кие те́мпы разви́тия страны́ обусло́вили рост городско́го населе́ния. В Сове́тском Сою́зе бо́лее двух ты́сяч городо́в. Около трёхсот городо́в име́ют населе́ние свы́ше ста ты́сяч жи́телей в ка́ждом. Восемна́дцать городо́в насчи́тывают бо́лее миллио́на жи́телей в ка́ждом. Это Москва́, Ленингра́д, Ки́ев, Ташке́нт, Баку́, Ха́рьков, Го́рький, Новосиби́рск, Минск, Ку́йбышев, Свердло́вск, Днепропетро́вск, Тбили́си, Оде́сса, Челя́бинск, Доне́цк, Ерева́н, Омск.

Непреме́нная черта́ о́блика СССР — но́вые города́. Караганда́, Новокузне́цк, Магнитого́рск когда́-то бы́ли новостро́йками, а сего́дня в них живёт по не́скольку сот ты́сяч жи́телей. В после́дние го́ды на ка́рте страны́ появи́лись таки́е молоды́е города́, как Толья́тти, Ты́нда, и други́е.

В СССР нема́ло городо́в, чья исто́рия насчи́тывает мно́гие века́. Это Москва́, Ки́ев, Ленингра́д, Но́вгород, Псков, Росто́в Вели́кий, Су́здаль, Влади́мир, Му́ром, Во́логда, Бухара́, Самарка́нд, Ерева́н, Тбили́си, Та́ллин, Ри́га, Львов и други́е. В них ведётся но́вое строи́тельство и бе́режно охраня́ются и реставри́руются па́мятники архитекту́ры, свиде́тели глубо́кой старины́.

Москва́ — столи́ца Сове́тского Сою́за. Это госуда́рственный, полити́ческий, экономи́ческий, нау́чный и культу́рный центр страны́. Москва́ — го́род-геро́й. Это почётное зва́ние присва́ивается города́м СССР, трудя́щиеся кото́рых прояви́ли ма́ссовый герои́зм и му́жество в Вели́кой Оте́чественной войне́ 1941—1945 гг.

Го́род-геро́й Ленингра́д, колыбе́ль револю́ции. Уника́льны его́ архитекту́рные анса́мбли, его́ пло́щади, фонта́ны, мосты́, сады́ и па́рки.

Го́род стои́т на реке́ Неве́, широ́кой, как мо́ре.

Осо́бенно обая́телен он в пери́од бе́лых ноче́й, когда́ «одна́ заря́ смени́ть другу́ю спеши́т, дав но́чи полчаса́».

Ленингра́д. Госуда́рственный музе́й «Эрмита́ж», бы́вший Зи́мний дворе́ц. Здесь со́браны богате́йшие колле́кции карти́н, скульпту́ры и разнообра́зных предме́тов бы́та глубо́кой старины́ наро́дов ми́ра.

Ки́ев — мать городо́в ру́сских. Столи́ца Украи́нской ССР. Го́род-геро́й.

Креща́тик — гла́вная у́лица э́того го́рода, живопи́сно располо́женного на берега́х Днепра́.

Псков. Ему́ бо́лее ты́сячи лет. Его́ исто́рия неотдели́ма от исто́рии страны́. Тури́стов привлека́ют сюда́ па́мятники разли́чных эпо́х, замеча́тельная древнеру́сская архитекту́ра.

Су́здаль — оди́н из са́мых поэти́чных древнеру́сских городо́в! Это музе́й под откры́тым не́бом — так ча́сто называ́ют его́. Настоя́щая ка́менная ле́топись.

Самарка́нд. Этому стари́нному узбе́кскому го́роду бо́лее двадцати́ четырёх веко́в. Архитекту́рные па́мятники его́ отно́сятся к XIV—XVI века́м.

Та́ллин — столи́ца Эсто́нской ССР, го́род сла́вных тради́ций. Знамени́т архитекту́рными па́мятниками XIII — XVI веко́в.

Москва́, Москва́!.. люблю́ тебя́, как сын,
Как ру́сский,— си́льно, пла́менно и не́жно!
Люблю́ свяще́нный блеск твои́х седи́н
И э́тот Кремль зубча́тый, безмяте́жный.

. . . .

Ты жив!.. Ты жив, и ка́ждый ка́мень твой —
Заве́тное преда́нье поколе́ний.

М. Ле́рмонтов. Из поэ́мы «Са́шка»

Ленингра́д, родно́й мой го́род,
Мне миле́е всех столи́ц,
Он мне бли́зок, он мне до́рог,
Вёсны в нём мои́ цвели́.

С. Городе́цкий. Из стихотворе́ния «Родно́й го́род»

Как в пу́лю сажа́ют втору́ю пу́лю,
Или бью́т на пари́ по све́чке,
Так э́тот раска́т берего́в и у́лиц
Петро́м разряжён без осе́чки.

Б. Пастерна́к. Из стихотворе́ния «Петербу́рг»

Если жизнь мне пода́рит, я уе́ду опя́ть под Вла-
ди́мир,
В сокрове́нный для ру́сского се́рдца ую́т,
В чистоту́ из берёз, в зе́лень ле́са роди́мого,
Где и де́тство и ю́ность меня́ сно́ва ждут.

И опя́ть березня́к прополо́щет мне ду́шу до де́тства
Эта шёлковость шу́ма врачу́ет без слов.
Жизнь, спаси́бо тебе́, что оста́вила ю́ность
в насле́дство,
Сохрани́в её с пе́сней рожко́в пастухо́в.

О, Влади́мирский край, не оста́вь же меня́ без
приве́та.
Позови́, я восто́чных ветро́в дунове́нье почу́ю

И к тебе́ поспешу́ в день после́дний из ба́бьего
ле́та,
На боло́тном ковре́ под тума́ном ночны́м заночу́ю.

Г. Белоу́сова. Из стихотворе́ния
«О, Влади́мирский край»

ГЛАВА́ 4

Ро́дина на́ша — колыбе́ль геро́ев.

А. Толсто́й

CHAPTER 4

Our Motherland is the cradle of heroes.

A. Tolstoy

Ки́евская Русь — э́то раннефеода́льное госуда́рство IX — нача́ла XII веко́в, возни́кшее в Восто́чной Евро́пе в результа́те объедине́ния восто́чно-славя́нских племён. Осно́ванный в V ве́ке, Ки́ев был столи́цей э́того госуда́рства.

За вре́мя существова́ния Ки́евской Руси́ восто́чно-славя́нские племена́ сложи́лись в древнеру́сскую наро́дность, ста́вшую впосле́дствии осно́вой для формирова́ния трёх бра́тских наро́дностей — ру́сской, украи́нской и белору́сской. Ки́евская Русь положи́ла нача́ло госуда́рственности у восто́чных славя́н.

Kievan Rus. This was an early-feudal state of the 9th-early 12th centuries, which arose in Eastern Europe as a result of the merging of the East Slav tribes. Founded in the 5th century, Kiev was the capital of this state.

During the existence of Kievan Rus the East Slav tribes evolved into the ancient Russian nationality, which later became the basis for the formation of three fraternal nationalities—Russian, Ukrainian and Byelorussian. Kievan Rus established the idea of statehood among the Eastern Slavs.

5-01327

ИЛЬЯ́ МУ́РОМЕЦ И КА́ЛИН-ЦАРЬ

Были́нный сказ

Завёл князь Влади́мир пир и не позва́л Илью́ Му́ромца. Богаты́рь на кня́зя оби́делся.

Князь Влади́мир приказа́л посади́ть Илью́ Му́ромца в глубо́кий по́греб на́ три го́да.

Прискака́л в Ки́ев гоне́ц от царя́ Ка́лина. Он вбега́л в кня́жий те́рем, кида́л Влади́миру гра́моту.

Князь Влади́мир запеча́лился. Схвати́л ключ от по́греба и побежа́л за Ильёй Му́ромцем. Обнима́л, целова́л богатыря́, угоща́л я́ствами, пои́л сла́дкими ви́нами, говори́л таковы́ слова́:

— Не серча́й, Илья́ Му́ромец! Подошёл к го́роду Ки́еву Ка́лин-царь. Грози́тся Русь разори́ть, Ки́ев-го́род разори́ть, а богатыре́й нет никого́.

Снаряжа́лся Илья́ в боевы́е доспе́хи и вы́ехал во́ поле.

Илья́ Му́ромец подъе́хал к по́лчищам вра́жеским. Стал си́лу вра́жью конём топта́ть, копьём коло́ть, мечо́м руби́ть. Деся́тки богатыре́й, со́тни во́инов напа́ли на Илью́ Му́ромца, связа́ли ему́ ру́ки-но́ги и привели́ в шатёр к царю́ Ка́лину. Встре́тил его́ Ка́лин-царь ла́сково, приказа́л развяза́ть богатыря́:

— Сади́сь, Илья́ Му́ромец, со мно́й за сто́л, ешь, пей. Я дам тебе́ оде́жду драгоце́нную. Не служи́ ты кня́зю Влади́миру, а служи́ мне, царю́ Ка́лину.

Взгляну́л Илья́ Му́ромец на царя́ Ка́лина:

— Не ся́ду я с тобо́й за сто́л. Я не ста́ну служи́ть тебе́ — царю́ Ка́лину! А и впредь бу́ду защища́ть Русь!

Стра́жники навали́лись на Илью́ Му́ромца. Могу́чий богаты́рь раскида́л басурма́н.

Он сви́стнул, и прибежа́л его́ конь с доспе́хами, со снаряже́нием. Вы́ехал Илья́ Му́ромец на высо́кий холм.

Прискака́ли на подмо́гу двена́дцать богатыре́й. Наки́нулись они́ на по́лчища вра́жеские, самого́ царя́ Ка́лина в плен взя́ли. И возговори́л Ка́лин-царь:

— Не казни́ меня́, князь Влади́мир, я закажу́ свои́м де́тям, вну́кам и пра́внукам на Ру́сь с мечо́м не ходи́ть, а с ва́ми в ми́ре жить.

Тут были́на и око́нчилась.

были́нный сказ, были́на, the Russian traditional heroic fantasy poems, which embody the best qualities of the people. The best known tell of mighty warriors Ilya Muromets, Dobrynya Nikitich and Alyosha Popovich.
завёл (*from* завести́), *here*: organised
князь Влади́мир, Prince Vladimir Svyatoslavich Fine Sun. Date of birth unknown. Died 1015. Grand Prince of Kiev from 980.
по́греб, cellar
гоне́ц, courier
кня́жий (*obs.*) = кня́жеский, of the Prince
те́рем (*hist.*), living quarters in the upper part of a house; *here*: palace
гра́мота, *here*: official document
запеча́литься, to grieve
я́ства (*arch.*), tasty food, viands
серча́ть (*pop.*), to be angry
разори́ть, to destroy
снаряжа́лся в доспе́хи, dressed for battle

по́лчище, unfriendly horde
копьё, lance
меч, sword
шатёр, tent
не ста́ну, I shall not
стра́жники, стра́жа (*hist.*), guards
басурма́н (*arch.*), infidel (*esp.* Mohammedan)
на подмо́гу (*coll.*), to his aid
возговори́л (*arch. elev.*), started to speak
казни́ть to kill
закажу́ (*from* заказа́ть) не... (*obs.*), I'll forbid
жить в ми́ре, to live in peace

ПОСЛЕ́ДНИЙ БОЙ ПЕЧЕНЕ́ГОВ

В 1036 году́ Яросла́в сде́лался прави́телем огро́много госуда́рства, кото́рое за́няло одно́ из пе́рвых мест среди́ вели́ких держа́в того́ вре́мени.

Ва́жное собы́тие в жи́зни Ки́евской Руси́ произошло́ в 1036 году́ — сокруши́тельный разгро́м печене́жских орд.

Яросла́в Му́дрый отпра́вился в Но́вгород.

Печене́ги, узна́в э́то, сочли́ вре́мя благоприя́тным для нападе́ния. Неисчисли́мые печене́жские ра́ти дви́нулись на Ки́ев. Шли они́ с табуна́ми лошаде́й, с ота́рами ове́ц. Коче́вники бы́ли уве́рены в побе́де.

Яросла́в, получи́в весть о грозя́щей беде́, поспеши́л на вы́ручку. С ним пошли́ мно́гие новгоро́дцы.

Князь подоспе́л во́время. Ки́ев держа́лся за кре́пкими стена́ми.

Наступи́л день реши́тельной би́твы. Весь го́род подня́лся, что́бы поко́нчить с враго́м.

Пришли́ ста́рые и ма́лые.

Начала́сь ужа́сная се́ча.

Мно́го раз побе́да клони́лась то на одну́, то на другу́ю сто́рону. Ру́сские защища́ли свои́ святы́ни, свои́х жён и дете́й, существова́ние госуда́рства.

К ве́черу дро́гнула печене́жская си́ла. Па́ника овладе́ла неприя́тельской ра́тью. Степняки́ бежа́ли кто куда́. Мно́жество их потону́ло в Днепре́ и други́х река́х, окружа́вших Ки́ев.

Те из печене́гов, кому́ удало́сь спасти́сь, разбежа́лись повсю́ду.

По́сле э́того знамени́того дня печене́ги никогда́ бо́льше не соверша́ли набе́гов на Ру́сь.

Вели́кую сла́ву стяжа́ла себе́ в э́той би́тве славя́нская рать.

По А. Во́лкову

печене́ги, Pechenegs, a Turkic nomadic tribe, which moved around south-east Europe between the 9th and 11th centuries A.D.
Яросла́в, Yaroslav the Wise (978-1054), Grand Prince of Kiev from 1019. Under him Kiev flourished politically and culturally.
держа́ва (*elev.*), state
сокруши́тельный (*elev.*), destructive
разгро́м, crushing defeat
орда́, horde
отпра́виться, to set off
сочли́ *from* счесть, to conclude, decide
благоприя́тный, favourable
неисчисли́мый (*elev.*), countless
рать (*arch.*), army
дви́нуться, to move
табу́н, herd (of horses)
ота́ра, flock (of sheep)
коче́вники, nomads (here the reference is to Pechenegs)
на вы́ручку, выруча́ть, to come to the aid of

подоспе́ть во́время (*coll.*), to arrive in the nick of time
се́ча (*arch.*), battle
клони́ться, to sway to and fro (*of battle*)
святы́ня, sacred, beloved object
дро́гнуть, to falter
си́ла, *here*: troops
па́ника, panic
степняки́, steppe-dwellers, *i.e.*, Pechenegs
бежа́ли кто куда́, dispersed running
набе́г, attack, raid
стяжа́ть, to win

Но́вгород — оди́н из са́мых дре́вних ру́сских городо́в; впервы́е упомина́ется в ле́тописи под 859 го́дом. С конца́ X в.— второ́й по значе́нию по́сле Ки́ева центр Ки́евской Руси́.

Дре́вний Но́вгород — выдаю́щийся центр ру́сской культу́ры. Сего́дня Но́вгород — сокро́вищница национа́льного культу́рного бога́тства.

Novgorod Novgorod is one of the most ancient of Russian towns. It is first mentioned in the Chronicles under the year 859. From the end of the 10th century it was the second most important centre in Kievan Rus, behind Kiev itself.

Ancient Novgorod was a prominent centre of Russian culture, and modern day Novgorod is a treasure house of the nation's cultural riches.

ОБ АЛЕКСА́НДРЕ НЕ́ВСКОМ

Князь Алекса́ндр был непобеди́м.

Прослы́шав о му́жестве кня́зя Алекса́ндра, коро́ль ри́мской ве́ры поду́мал: «Пойду́ и завою́ю зе́млю Алекса́ндрову». И собра́л во́йско вели́кое и напо́лнил мно́гие корабли́ полка́ми свои́ми. Посла́л посло́в свои́х в Но́вгород к кня́зю Алекса́ндру, говоря́: «Если мо́жешь, то сопротивля́йся мне, я уже́ здесь и беру́ в плен зе́млю твою́».

Алекса́ндр пошёл с небольшо́й дружи́ной.

Оте́ц его́ Яросла́в Вели́кий не зна́л о нападе́нии на сы́на своего́. Не́ было у Алекса́ндра вре́мени посла́ть весть к отцу́, и́бо уже́ приближа́лись враги́.

И была́ се́ча вели́кая с латиня́нами, и переби́л их бесчи́сленное мно́жество, и самому́ королю́ возложи́л печа́ть на лицо́ о́стрым свои́м копьём.

В полку́ Алекса́ндровом отличи́лись шесть муже́й хра́брых, кото́рые кре́пко би́лись вме́сте с ним.

Оди́н — по и́мени Гаври́ло Оле́ксич. Этот напа́л на су́дно. И побежа́ли все перед ни́м на кора́бль, зате́м оберну́лись и сбро́сили его́ с конём в Неву́. Он вы́брался невреди́мым и сно́ва напа́л на ни́х, и би́лся кре́пко.

Друго́й — новгоро́дец, по и́мени Сбы́слав Яку́нович, не ра́з напада́л на во́йско их и би́лся одни́м топоро́м. Мно́гие па́ли от руки́ его́ и подиви́лись си́ле его́ и хра́брости.

Тре́тий — Ия́ков. Этот напа́л на враго́в с мечо́м и му́жественно би́лся, и похвали́л его́ князь.

Четвёртый — новгоро́дец, по и́мени Ми́ша. Этот пе́ший с дружи́ною свое́ю напа́л на корабли́ и потопи́л три корабля́ латиня́н.

Пя́тый — по и́мени Са́вва. Этот напа́л на большо́й, златове́рхий шатёр и подруби́л столб шатёрный. Во́ины же Алекса́ндровы обра́довались.

Шесто́й — из слу́г, по и́мени Ратми́р. Этот би́лся пе́шим, и окружи́ло его́ мно́го враго́в. Он же от мно́гих ран упа́л и сконча́лся.

И возврати́лся князь Алекса́ндр с побе́дою сла́вною.

Просла́вилось и́мя его́ по всем страна́м и до мо́ря Еги́петского, и по о́бе сто́роны мо́ря Варя́жского, и до вели́кого Ри́ма.

Алекса́ндр Не́вский, Prince Alexander Nevsky (c. 1220-1263) was the son of Yaroslav Vsevolodovich, the Prince of Novgorod, Kiev, Vladimir and Suzdal. Alexander was famous as an outstanding military leader. The victories he won—on the Neva in 1240 (which earned him the name Nevsky) and on the ice of Lake Chudskoe on April 5, 1242 (Battle on the Ice)—were of great historical significance for Russia.

коро́ль ри́мской ве́ры, the reference is to the Swedish King Eric Ericsson, known as Lespe. In 1240, a Swedish army set off on a campaign against Russia under the leadership of the earls of Sweden Birger and Olf Fasi.

сопротивля́ться, to oppose

дружи́на (*hist.*), armed force

се́ча (*arch.*), battle

латиня́не (*arch.*), *here*: Swedes, Finns, Norwegians in the Swedish army

возложи́л печа́ть на лицо́, Prince Alexander wounded Birger in the cheek with a lance. Here the allusion is to the custom of the ancient Romans to mark their property by branding the forehead of their slaves.

муж (*hist.*), man

би́лись *from* би́ться (*obs.*), to fight

напа́сть, *here*: to take by storm

су́дно, vessel, ship

па́ли, *here*: died

подиви́лись, were astonished

пе́ший, foot-soldier
златове́рхий, gold-topped
шатёр, tent
мо́ре Еги́петское (*hist.*), the part of the Mediterranean Sea adjoining Egypt
мо́ре Варя́жское (*hist.*), the Baltic Sea

С 1243 по 1480 го́ды на Ру́си дли́лось **монго́ло-тата́рское и́го,** установи́вшееся всле́дствие завоева́тельных похо́дов монго́ло-тата́рских феода́лов в Восто́чную и Центра́льную Евро́пу.

From 1243 to 1480 Russia was subjected to the Mongol-Tatar yoke, which came about as a result of the campaigns of conquest in Eastern and Central Europe undertaken by the Mongol-Tatar feudal lords.

Ру́сские кня́жества лиши́лись самостоя́тельности. Хозя́йство бы́ло разру́шено. Города́ опусте́ли.

The Russian principalities were deprived of their independence. The economy was destroyed and the towns depopulated.

Ру́сские лю́ди не покори́лись завоева́телям.

But the Russian people did not submit to their conquerors.

По́сле Кулико́вской би́твы (1380) и́го носи́ло номина́льный хара́ктер. Оконча́тельно оно́ бы́ло све́ргнуто при Ива́не III.

Following the Battle of Kulikovo (1380), the yoke became purely nominal, and it was finally cast off in the reign of Ivan III.

СКАЗА́НИЕ О МАМА́ЕВОМ ПОБО́ИЩЕ

Мама́й* на́чал говори́ть всем тата́рам* так: «Пойдём на ру́сскую зе́млю и обогати́мся ру́сским зо́лотом!»

А госуда́рь, князь Дми́трий Ива́нович* не зна́л того́.

Услы́шал князь Дми́трий Ива́нович, что идёт на него́ царь Мама́й со мно́гими си́лами *. И посла́л за бра́том свои́м, кня́зем Влади́миром Андре́евичем, разосла́л гонцо́в * за все́ми князья́ми ру́сскими. И веле́л им прибы́ть к нему́ в Москву́.

Наступи́л четве́рг, 27 а́вгуста. В тот день реши́л князь идти́ про́тив тата́р.

Сел на своего́ коня́, и все се́ли на свои́х коне́й. Вы́ехали ру́сские удальцы́ * с свои́м госуда́рем, с кня́зем Дми́трием Ива́новичем, хотя́т напа́сть * на вели́кую си́лу тата́рскую.

Когда́ князь при́был на ме́сто, отпусти́л бра́та своего́, кня́зя Влади́мира Андре́евича, вверх по До́ну в дубра́ву *, что́бы там спря́тался его́ полк. И с ни́ми отпусти́л знамени́того своего́ воево́ду * Дми́трия Волы́нского.

Наста́л восьмо́й день ме́сяца сентября́. В пя́тницу на рассве́те, на восхо́де со́лнца, в тума́нное у́тро на́чали знамёна развева́ться, ра́тные тру́бы * труби́ть. Ра́достно ви́деть стро́йные полки́. Войска́ же проти́вников ещё не ви́дят друг дру́га, потому́ что у́тро тума́нно.

Князь сел на своего́ лу́чшего коня́ и е́здил по полка́м и говори́л: «Не отсту́пим».

Уже́ бли́зко схо́дятся си́льные полки́, вы́ехал печене́г * из полку́ тата́рского. Подо́бен он был дре́внему Голиа́фу *. Алекса́ндр Пересве́т * вы́ехал из полка́ и сказа́л: «Этот челове́к и́щет ра́вного себе́, я хочу́ встре́титься с ним». Бро́сился он на печене́га. Печене́г устреми́лся * про́тив него́. И уда́рились кре́пко ко́пьями *. И упа́ли о́ба и сконча́лись *.

Когда́ князь вели́кий уви́дел, что наста́л час, он сказа́л: «Пришло́ вре́мя и час пришёл ка́ждому свою́ хра́брость показа́ть». Си́льные полки́ сошли́сь в би́тве. И был вели́кий шум от уда́ров мече́й *. И тре́тий, и четвёртый, и пя́тый, и шесто́й час бьются *. Уже́ мно́гие уби́ты богатыри́ ру́сские. Мно́гие сыны́ ру́сские поги́бли. Самого́ князя́ тяжело́ ра́нили и сби́ли с коня́.

Пришёл восьмо́й час дня. И закрича́л Волы́нец гро́мким го́лосом: «Князь Влади́мир, час подходя́щий * пришёл». Друзья́ вы́ехали из дубра́вы зелёной, уда́рили на си́лу тата́рскую *. Сердца́ их бы́ли, как у льво́в, напа́ли * и на́чали тата́р убива́ть.

По́ловцы * уви́дели свою́ поги́бель, закрича́ли на своём языке́ и побежа́ли. Сыны́ же ру́сские гнали́сь * и убива́ли их, то́чно * лес руби́ли.

Царь Мама́й сказа́л свои́м: «Побежи́м, то́лько бы свои́ го́ловы унсcти́». И побежа́л Мама́й.

Ру́сские гнали́сь за ни́ми, но не одоле́ли * их, потому́ что ко́ни их утоми́лись *. У Мама́я же ко́ни бы́ли це́лы *, и он убежа́л. Князь Влади́мир Андре́евич не на̀шёл своего́ бра́та и веле́л труби́ть в ра́тные тру́бы. Князь Стефа́н Новоси́льский сказа́л: «Я ви́дел его́ ра́неным».

Два во́ина нашли́ его́ под берёзовым де́ревом. Уви́дели его́ и сле́зли * с коне́й, поклони́лись ему́.

Князь подня́лся и сказа́л: «Весели́тель, лю́ди!» И привели́ к нему́ коня́, и сел он на коня́ и уви́дел, что из его́ во́йска уби́то о́чень мно́го, а тата́р вчётверо бо́льше того́ уби́то.

И веле́л труби́ть в ра́тные тру́бы, созыва́ть *

людéй. Хрáбрые ви́тязи * со всéх сторóн éдут под трýбные звýки. Едут вéсело, пéсни пою́т.

Мамáй, Mamai (?-1380), the de facto leader of the Golden Horde, a Mongol-Tatar feudal state founded in the 13th century. After sustaining a defeat at the hands of the Moscow Prince Dmitry Donskoi, Mamai lost his position in the Golden Horde.
татáры, *here obs.*: a general name for the Turkic tribes
Дми́трий Ивáнович, Dmitry Ivanovich (1350-1389), the Grand Prince of Moscow (1359) and of Vladimir (1362), headed the armed struggle of the Russian people against their Mongol-Tatar conquerors. He became known as "Donskoi" after his victory in the Battle of Kulikovo (1380), which was fought on Kulikovo field on the upper reaches of the Don.
си́лы, *here obs.*: troops
гонцы́ (*sing.* гонéц), messengers
удальцы́, brave men
напáсть, to attack
дубрáва, oak forest
воевóда, army commander
рáтные трýбы, war trumpets
печенéги, *see notes on p. 69*
Голиáф, Goliath, the biblical giant slain by David (1 Sam. 17.)
Алексáндр Пересвéт, a Russian warrior
устреми́лся, rushed at
копьё, lance
скончáлись, died
меч, sword
бью́тся, they fight
подходя́щий, right, suitable

уда́рили на си́лу тата́рскую, attacked the Tatar force
напа́ли, began to attack
по́ловцы, a Turkic-speaking people which in the 11th century inhabited the South Russian steppes
гнали́сь, chased
то́чно, as though
не одоле́ли, did not catch
утоми́лись, were tired out, exhausted
це́лы, untired
слезли, got down, dismounted
созыва́ть, to summon
ви́тязь, hero, brave man

Ле́том 1812 го́да многочи́сленная а́рмия Наполео́на вто́рглась в Росси́ю.

Важне́йшим собы́тием **Оте́чественной войны́ 1812 г.** бы́ло знамени́тое Бороди́нское сраже́ние 7 сентября́ (26 а́вгуста). Миф о непобеди́мости наполео́новской а́рмии был разве́ян.

«Из 50 сраже́ний, мно́ю да́нных,— писа́л Наполео́н в свои́х воспомина́ниях,— в би́тве под Москво́й вы́казано наибо́лее до́блести и оде́ржан наиме́ньший успе́х... Ру́сские в э́тот день получи́ли пра́во

In the summer of 1812 the huge army of Napoleon invaded Russia.

The most important event in the Patriotic War of 1812 was the famous Battle of Borodino which was fought on 26 August (7 September, New Style). The myth of the invincibility of the Napoleonic army was dispelled.

"Of the 50 battles I have waged," wrote Napoleon in his memoirs, "the battle near Moscow saw the greatest valour and the least success.... That day the Russians earned the right to be

называ́ться непобеди́мыми».

М. И. Куту́зов в своём прика́зе в феврале́ 1813 го́да, обраща́ясь к а́рмии, писа́л: «Не пройду́т и не умо́лкнут соде́янные гро́мкие дела́ и по́двиги ва́ши; пото́мство сохрани́т их в па́мяти свое́й. Вы кро́вью свое́й спасли́ Оте́чество...»

called invincible."

General Kutuzov, in his order of February 1813 to the army, wrote, "Your great deeds and exploits will not pass and will not be stilled; coming generations will remember them. You saved your Motherland with your blood...."

Л. РУБИНШТЕ́ЙН

ДОРО́ГА ПОБЕ́ДЫ

Со́лнце поднима́лось всё вы́ше. Бой шёл пять часо́в. По пла́нам Наполео́на ру́сская а́рмия должна́ была́ уже́ не существова́ть.*

Но ру́сская а́рмия наноси́ла проти́внику уда́р за уда́ром.*

Ма́ршалы Наполео́на тре́бовали подкрепле́ний — резе́рвов.

На мно́го киломе́тров вокру́г Бородина́ * земля́ сотряса́лась * от гро́хота *.

Наполео́н переста́л отвеча́ть на про́сьбы о резе́рвах.

Нигде́ ру́сские ли́нии не́ были про́рваны *.

Наполео́н не зна́л, каки́е ещё си́лы есть у Куту́зова *.

Всё выходи́ло * не та́к, как полага́лось *. За ше́сть часо́в напряжённого бо́я * не доби́ться реша́ющего результа́та!

Как? Каки́м о́бразом могло́ э́то произойти́?

Успе́ха не́ было.

Все тре́буют резе́рвов... ру́сские контратаку́ют... поте́ри огро́мны...

При́были * но́вые адьюта́нты от Не́я и от Мюра́та *. Нужны́ резе́рвы!

Наполео́н то́пнул ного́й *.

— Все сошли́ с ума́! Если за́втра бу́дет сраже́ние, кто ста́нет дра́ться? *

Наполео́н сел на раскладно́й стул, положи́л но́гу на бараба́н.

Задрожа́ла земля́ под не́сколькими ты́сячами вса́дников *, бро́шенных в бой Мюра́том. Францу́зские батаре́и вели́ ого́нь по ру́сским полка́м с расстоя́ния в шестьсо́т шаго́в.

— Это лю́ди! — восто́рженно сказа́л Мюра́т Не́ю, ука́зывая перча́ткой в сто́рону ру́сского фро́нта.— Как жаль, что нам прихо́дится воева́ть с ни́ми! Они́ стоя́т, как... как дья́волы!

— Ма́ло того́,— су́хо отве́тил Даву́,— они́ собира́ются атакова́ть нас.

Наполео́н на́чал понима́ть, что при тако́м упо́рстве * ру́сских у него́ не хва́тит резе́рвов на то́, что́бы их разгроми́ть *; что основна́я цель его́, Наполео́на, кото́рая заключа́лась в уничтоже́нии ру́сской а́рмии, нахо́дится от него́ ещё да́льше, чем в нача́ле сраже́ния; что ничего́ уже́ перемени́ть нельзя́. К ру́сскому це́нтру подошли́ резе́рвы, к пу́шкам * подвезли́ заря́ды *.

Францу́зский на́тиск * ослабева́л, а ру́сский уси́ливался.

Куту́зов э́то знал. День шёл к концу́, и э́то был день побе́ды.

Наполео́н вы́ехал на по́ле бо́я. Ядро́ шлёпнулось * в не́скольких шага́х от Наполео́на.

Вдали́ стоя́ли на фо́не тёмного ле́са стро́йные ли́нии ру́сской пехо́ты *.

Не́ было конца́ э́тому сраже́нию, кото́рое импера́тор в глубине́ души́ называ́л уже́ «несча́стным сраже́нием».

Он пое́хал обра́тно. Во́здух был горя́чий. Все молча́ли.

Наполео́н поверну́л го́лову и сказа́л:

— Распоряди́тесь * прекрати́ть * все ата́ки и отойти́ * с по́ля сраже́ния *.

Глубо́кой * но́чью в избе́ на столе́ горе́ли три свечи́. На похо́дной крова́ти лежа́л импера́тор.

Он знал, что сраже́ние не вы́играно. Но он знал и бо́льше: что оно́ прои́грано.

Полови́на а́рмии поте́ряна. Наде́жд на пополне́ние а́рмии нет. Неуже́ли... неуже́ли впереди́ катастро́фа?

Ру́сские! Куту́зов! Они́ деру́тся, как львы́! Их мно́го. Им не ну́жен Наполео́н.

Импера́тор вздохну́л. Сна не́ было.

Он ду́мал и ду́мал. Он пыта́лся поня́ть, что происхо́дит с ним в Росси́и.

Никогда́ не поме́ркнет * сла́ва Оте́чественной войны́ 1812 го́да. В э́той войне́ ру́сский наро́д разби́л и уничто́жил огро́мную а́рмию францу́зского импера́тора Наполео́на.

существова́ть, to exist
наноси́ть уда́р за уда́ром, to inflict blow upon blow
Бородино́, Borodino is a village not far from the town of Mozhaisk, approximately 100 km. west of Moscow
сотряса́лась, shook
гро́хот, roar
ли́нии не про́рваны, the line of defence was not breached
Куту́зов, Mikhail Illarionovich Kutuzov (1745-1813), the Russian army commander-in-chief

(from August 1812) during the Patriotic War.
выходи́ло, was working out
полага́лось, (as) was supposed
напряжённый бой, intensive fighting
при́были, appeared
Ней, Мюра́т, Ney, Murat, leading officers in Napoleon's army
то́пнуть ного́й, to stamp one's foot
дра́ться, *here*: to fight
вса́дник, horseman
упо́рство, obstinacy, persistence
разгроми́ть, to destroy
пу́шки, cannons
заря́ды, cartridges, cannon-balls
на́тиск, onslaught
ядро́ шлёпнулось, a cannon-ball thudded
пехо́та, infantry
распоряди́ться, to give the order
прекрати́ть, to halt, disengage
отойти́, to leave
сраже́ние, battle
глубо́кая, *here*: late
не поме́ркнет, will never dim

М. Ю. Ле́рмонтов

БОРОДИНО́

(фрагме́нт)

— Скажи́-ка, дя́дя, ведь не да́ром
Москва́, спалённая пожа́ром,
Францу́зу отдана́?
Ведь бы́ли ж схва́тки боевы́е,
Да, говоря́т, ещё каки́е!
Неда́ром по́мнит вся Росси́я
Про де́нь Бородина́!

<. . . . .>

— Ну ж бы́л денёк! Сквозь ды́м лету́чий
Францу́зы дви́нулись, как ту́чи,
И всё на на́ш реду́т.
Ула́ны с пёстрыми значка́ми,
Драгу́ны с ко́нскими хвоста́ми,
Все́ промелькну́ли перед на́ми,
Все́ побыва́ли ту́т.

Ва́м не вида́ть таки́х сраже́ний!..
Носи́лись знамена́, как те́ни,
В дыму́ ого́нь блесте́л,
Звучал була́т, карте́чь визжа́ла,
Рука́ бойцо́в коло́ть уста́ла,
И я́драм пролета́ть меша́ла
Гора́ крова́вых тел.

Изве́дал вра́г в тот де́нь нема́ло,
Что́ зна́чит ру́сский бо́й уда́лый,
На́ш рукопа́шный бо́й!..
Земля́ трясла́сь — как на́ши гру́ди;
Смеша́лись в ку́чу ко́ни, лю́ди,
И за́лпы ты́сячи ору́дий
Слили́сь в протя́жный вой...

ГЛАВА́ 5

Всё создава́лось за́ново в на́шей стране́

В. Бонч-Бруе́вич

CHAPTER 5

Everything was being created anew in our country.

V. Bonch-Bruyevich

25 октября́ (7 ноября́) 1917 го́да в Росси́и победи́ла **Вели́кая Октя́брьская социалисти́ческая револю́ция.** Власть от Вре́менного прави́тельства, представля́вшего разли́чные слои́ буржуази́и, перешла́ в ру́ки наро́да.

Пе́рвыми декре́тами Сове́тской вла́сти бы́ли декре́ты о ми́ре и о земле́.

On October 25 (November 7, New Style), 1917 the Great October Socialist Revolution triumphed in Russia. Power passed from the Provisional Government, which represented the various strata of the bourgeoisie, into the hands of the people.

The first decrees promulgated under Soviet power were those on peace and land.

В. Бонч-Бруе́вич

СОВЕ́ТСКИЙ ГЕРБ

Всё создава́лось за́ново в на́шей стране́. И госуда́рственный герб ну́жен был но́вый, како́го ещё никогда́ не существова́ло в исто́рии наро́дов,— герб пе́рвого в ми́ре госуда́рства рабо́чих и крестья́н.

В нача́ле 1918 го́да мне принесли́ рису́нок герба́, и я понёс его́ Влади́миру Ильичу́.

— Что э́то — герб?.. Интере́сно посмотре́ть! 〈...〉

На кра́сном фо́не сия́ли лучи́ восходя́щего со́лнца, обрамлённые снопа́ми пшени́цы; внутри́ перекре́щивались серп и мо́лот, а вверх, к со́лнечным луча́м, был напра́влен меч.

— Интере́сно! — сказа́л Влади́мир Ильи́ч.— Иде́я есть, но заче́м же меч? Мы бьёмся, мы вою́ем и бу́дем воева́ть, пока́ не вы́гоним из на́шей страны́ и белогварде́йцев и интерве́нтов. Но наси́лие не мо́жет главе́нствовать у на́с. Завоева́тельная поли́тика нам чужда́. Мы не напада́ем, а отбива́емся от враго́в, война́ на́ша оборони́тельная, и меч — не на́ша эмбле́ма. Мы должны́ кре́пко держа́ть его́ в рука́х, что́бы защища́ть на́ше госуда́рство до тех по́р, пока́ у на́с есть враги́, пока́ на на́с напада́ют, пока́ нам угрожа́ют, но э́то не зна́чит, что так бу́дет всегда́. Из герба́ на́шего социалисти́ческого госуда́рства мы должны́ удали́ть меч... — И Влади́мир Ильи́ч карандашо́м перечеркну́л меч на рису́нке.— А в остально́м герб хоро́ш. Дава́йте утверди́м прое́кт, а пото́м посмо́трим и ещё раз обсу́дим. На́до э́то сде́лать поскоре́й...

И он поста́вил на рису́нке свою́ по́дпись.

создава́лось, was being created
герб, emblem
како́го не существова́ло, which had never existed before
на ... фо́не, on a ... background
сия́ли, shone
лучи́ восходя́щего со́лнца, beams of the rising sun
обрамлённые снопа́ми пшени́цы, framed by sheaves of wheat
перекре́щивались серп и мо́лот, a crossed hammer and sickle
был напра́влен меч, a sword directed at, pointed at
бьёмся, (we) fight
вы́гоним, we drive out
белогварде́йцы, White Guards
интерве́нты, interventionists
наси́лие, violence
главе́нствовать, to hold sway (over)
Завоева́тельная поли́тика нам чужда́. An aggressive policy is alien to us.
Мы не напада́ем, а отбива́емся от враго́в, We are not attacking, but defending ourselves against our enemies
война́ на́ша оборони́тельная, ours is a defensive war
меч — не на́ша эмбле́ма, the sword is not our emblem
защища́ть, to defend
напада́ют, угрожа́ют, they attack and threaten
удали́ть, to remove
утверди́м прое́кт, (let's) approve the draft

обсу́дим, discuss
по́дпись, signature

А. Ко́нонов
В СМО́ЛЬНОМ

Из далёкой сиби́рской * дере́вни е́хал в Петрогра́д * стари́к-крестья́нин. В доро́ге он всем расска́зывал, что е́дет к Ле́нину. Ему́ на́до поговори́ть с Ле́ниным о крестья́нской жи́зни.

До́лго стари́к был в пути́. Наконе́ц прие́хал в Петрогра́д.

Пошёл стари́к по у́лице, стал расспра́шивать, где найти́ Ле́нина.

Говоря́т:

— В Смо́льном *.

До́лго шёл он через ве́сь го́род и пришёл к грома́дному * до́му.

Это и был Смо́льный.

У двере́й стоя́ли два красногварде́йца *: ста́рый уса́тый рабо́чий в чёрном пальто́ и молодо́й па́рснь в полушу́бкс *.

— Мне б Ле́нина повида́ть *.

Уса́тый рабо́чий погляде́л на старика́ и сказа́л:

— Ступа́й * пря́мо по коридо́ру. Ле́нин в большо́м за́ле бу́дет выступа́ть.

Стари́к заме́тил, что все шли по коридо́ру в одну́ сто́рону.

Стари́к стал пробира́ться * вперёд. И то́лько вошёл в зал, как разда́лся шум.*

И все крича́т:

— Ле́нин! Ле́ни-и-ин! Ле́нин!

Стари́к приподня́лся на цы́почки * и уви́дел в друго́м конце́ за́ла Ле́нина.

Влади́мир Ильи́ч ⟨...⟩ ждал, когда́ сти́хнут

кри́ки *. Пото́м по́днял пра́вую ру́ку — тре́бовал тишины́.*

Ле́нин подожда́л немно́жко. И опя́ть по́днял пра́вую ру́ку. Наклони́лся вперёд * и на́чал говори́ть.

Сра́зу в за́ле ста́ло ти́хо.

— Това́рищи! — сказа́л Ле́нин.— Рабо́чая и крестья́нская револю́ция *, о необходи́мости кото́рой всё вре́мя говори́ли большевики́ *, соверши́лась...

Ле́нин говори́л о но́вой жи́зни, о Сове́тской вла́сти, о то́м, что войну́ на́до конча́ть, что земля́ бу́дет отдана́ крестья́нам.

Стари́к слу́шал. Ка́ждое сло́во Влади́мира Ильича́ бы́ло ему́ поня́тно.

Ко́нчил Ле́нин речь.

Стари́к вспо́мнил о свое́й дере́вне: на́до там рассказа́ть о ле́нинских слова́х.

И он пошёл по коридо́ру — иска́ть широ́кую ле́стницу, что ведёт на у́лицу.

Кто́-то окли́кнул * его́. Это был молодо́й матро́с *, кото́рый стоя́л ра́ньше о́коло Смо́льного.

— Ну что, говори́л ты с Ле́ниным про свою́ жизнь? — спроси́л он, засмея́вшись.

— Нет,— отве́тил стари́к.— Это Ле́нин говори́л со мно́й про мою́ жизнь.

сиби́рская, Siberian

Петрогра́д, Petrograd, the name of St. Petersburg between 1914 and 1924. Thereafter it became Leningrad. Up until 1918 it was the capital of Russia.

Смольный, Smolny, a monument in Leningrad of interest both for its architecture and for the part it played in the October Revolution of 1917. During the October armed uprising the revolutionary forces' headquarters were situated here. The Central Committee of the Russian Social Democratic Labour Party (Bolshcviks) worked in Smolny.

грома́дный, huge, imposing
красногварде́ец, Red Guardsman, a member of the Red Guard, armed detachments of workers, the principal shock force of the Great October Socialist Revolution
полушу́бок, sheepskin jacket
повида́ть, to see
ступа́й (*pop.*), go
пробира́ться, to push one's way
разда́лся шум, a din broke out
приподня́лся на цы́почки, he got up on tiptoe
сти́хнут кри́ки, the shouting died down
тре́бовал тишины́, demanded silence
наклони́лся вперёд, leaned forward
Рабо́чая и крестья́нская револю́ция, The workers' and peasants' revolution
большевики́, the Bolsheviks
окли́кнул, called
матро́с, sailor

Н. Ти́хонов

РАССКА́З О БУДЕННОМ

Раз во вре́мя гражда́нской войны́ е́хал Будённый вдвоём с ордина́рцем по доро́ге. Уви́дели они́ ху́тор *.

Этот ху́тор до́лжен быть уже́ за́нят на́шими *,— сказа́л Будённый,— зае́дем, посмо́трим.

Зае́хали они́ на ху́тор, а там бе́лые *. Подошли́ к вса́дникам * бе́лые. Стоя́т и вса́дников рассма́тривают. А Будённый и его́ ордина́рец носи́ли бу́рки *, кото́рые их закрыва́ли с головы́ до но́г.

Бе́лые реши́ли, что э́то свои́. Одни́ ста́ли расходи́ться *, а други́е говоря́т:

— Слеза́й *. Бу́дем у́жинать.

Будённый посмотре́л на ордина́рца. Тот незаме́тно подмигну́л.* И они́ сле́зли с коне́й, привяза́ли их о́коло ха́ты * и вошли́ в неё.

Се́ли, бу́рки не ски́нули * и ста́ли * у́жинать. А бе́лые солда́ты за у́жином хва́стаются: «Мы Будённого в лицо́ зна́ем».*

Ордина́рец сиди́т, ест мо́лча, то́лько под бу́ркой ору́жие нагото́ве * де́ржит, а Будённый ест и говори́т:

— Я Будённого то́же мно́го раз ви́дел. Да́же в плен хоте́л взять, да не суме́л.

Бе́лые засмея́лись.

— Проворо́нил! *

Пое́л ещё немно́го Будённый и сказа́л ордина́рцу:

— На́до коне́й посмотре́ть, покорми́ть их то́же.

Вы́шли они́ из ха́ты, отвяза́ли коне́й *, огляну́лись *, а бе́лые у́жинают.

Вскочи́л * Будённый на коня́, ордина́рец за ни́м, и помча́лись * они́ с ху́тора в степь. Прие́хали к свои́м. Собра́л Будённый команди́ров, веле́л им ху́тор окружи́ть и уда́рить на бе́лых.*

Вы́скочили * бе́лые. Ста́ли стреля́ть, да по́здно — всех взял Будённый в плен * и приказа́л пле́нных постро́ить *.

Постро́или пле́нных, а он останови́лся про́тив тех, что говори́ли про него́ и хва́стали *. Посмотре́л он на ни́х и говори́т насме́шливо *:

— Что вра́ли *, бу́дто Будённого в лицо́ зна́ете! Вот перед ва́ми Будённый!

Ви́дят они́, что э́то он с ни́ми неда́вно у́жинал. А он говори́т им:

— Вас обману́ли бе́лые генера́лы. Иди́те по дома́м.

И отпусти́л их домо́й.

Будённый, Semyon Mikhailovich Budyonny (1883-1973), Marshal of the Soviet Union, Hero of the Civil War of 1918-20 (*for* the Civil War *see notes on p. 94*)
ху́тор, farmstead; a small hamlet (in the Ukraine)
на́ши, the Red Army
бе́лые, the Whites, the counter-revolutionaries
вса́дник, horseman
бу́рка, felt cloak, cape
расходи́ться, *here*: to go away
слеза́й, get down
подмигну́л, winked
привяза́ли о́коло ха́ты, tethered them by the house
ски́нуть, to take off
ста́ли, they began
в лицо́ зна́ем, we know by sight
наготове, at the ready
Проворо́нил! Lost him!
отвяза́ли коне́й, they untethered the horses
огляну́лись, they looked back
вскочи́л, jumped
помча́лись, sped off
окружи́ть и уда́рить на бе́лых, surround and attack the Whites
вы́скочили, jumped out
взял в плен, took prisoner
приказа́л пле́нных постро́ить, ordered the prisoners to form up
хва́стали, had boasted
насме́шливо, derisively
Что вра́ли..? How could you say...?

Н. Ти́хонов

ХРА́БРЫЙ ПАРТИЗА́Н

Во вре́мя гражда́нской войны́ * в гора́х Се́верного Кавка́за произошёл тако́й слу́чай. Пришло́сь отступа́ть партиза́нам перед больши́ми си́лами бе́лых. Реши́ли партиза́ны уйти́ в го́ры. ⟨...⟩ Ну́жно взять в го́ры се́мьи и скот. На сове́те оди́н молодо́й партиза́н сказа́л:

— Това́рищи, споко́йно де́лайте свои́ дела́. Я задержу́ * бе́лых на це́лый день.

— Не оди́н же ты их заде́ржишь? Кто бу́дет с тобо́й?

— Я задержу́ их оди́н,— сказа́л партиза́н,— мне не ну́жно никого́.

— Ка́к же ты их заде́ржишь? — спроси́ли его́.

— Это моё де́ло,— отве́тил он.— Даю́ вам сло́во *, что я задержу́, а моё сло́во вы все зна́ете.

— Твоё сло́во мы зна́ем,— сказа́ли партиза́ны.

Они ушли́, а молодо́й партиза́н (его́ зва́ли Дане́л) оста́лся.

На скале́ * стоя́ла ста́рая ба́шня *, в кото́рой он жил с ма́терью. Он пришёл к ма́тери, ста́рой, но си́льной же́нщине, и сказа́л:

— Мать, мы бу́дем защища́ть * путь в го́ры и не пропу́стим * бе́лых.

— Хорошо́, сын,— отве́тила мать.— Скажи́, что мне на́до де́лать.

Дане́л собра́л всё ору́жие, что бы́ло у него́ в ба́шне.

Он положи́л винто́вки и ру́жья * в ра́зных о́кнах ба́шни, напра́вил все их на тропу́ * и заряди́л.

— Я бу́ду стреля́ть, а ты заряжа́й * ру́жья,— сказа́л он.

Он поцеловáл её и показáл, как заряжáть * винтóвки.

Затéм онá пошлá к ручью́ и принеслá воды́.

— Это — éсли ты захóчешь пить и́ли тебя́ рáнят *, водá пригоди́тся *.

На тропé показáлись бéлые. Впереди́ отря́да éхали два всáдника. Они́ éхали и смея́лись над партизáнами.

Данéл вы́стрелил два рáза. Кóни и всáдники упáли с обры́ва * в рéку. Ещё два всáдника упáли вниз головóй. Мать Данéла заряди́ла емý снóва винтóвку. А он стреля́л из рáзных щелéй * и óкон, чтóбы казáлось, что в бáшне мнóго нарóду. Бéлые стáли стреля́ть по бáшне. Пýли свистéли *.

Данéл стреля́л мéтко *. Он никогó не пропускáл * к бáшне. Двóе спусти́лись с обры́ва в рекý, переплы́ли и стáли взбирáться * к бáшне. Их не ви́дел Данéл, но егó мать уви́дела. Онá взялá стари́нное ружьё и вы́стрелила в бéлых. Оди́н из ни́х упáл в рекý, другóй растеря́лся *, схвати́лся * за кáмень и полетéл вниз вслед за пéрвым.

Бéлые уви́дели э́то, стáли совещáться.

— Нáдо подождáть пýшку, пýшка срáзу разрýшит * бáшню,— сказáли одни́.

Други́е не согласи́лись:

— Пýшка сорвётся в прóпасть *. Пýшка не помóжет.

И они́ опя́ть нáчали стреля́ть и рáнили Данéла в рýку. Мать перевязáла емý рýку, и, покá он отдыхáл, стреля́ла самá, и óчень мéтко. Бéлые снóва нáчали совещáться.

— Пýшку не бýдем вызывáть, но пошлём к ним для переговóров * человéка без орýжия и скáжем, что мы их убьём из пýшки.

Это предложéние понрáвилось бéлым. Данéл уви́дел, что по тропé к бáшне идёт человéк, снима́ет с себя́ винто́вку и кладёт на ка́мни.

Дане́л говори́т ма́тери:

— Я пойду́ разгова́ривать, а ты следи́.*

Дане́л стал спуска́ться * к бе́лому.

Встал и говори́т:

— Что ска́жешь?

— Да́йте нам доро́гу. Мы поста́вим сейча́с пу́шку и всех сра́зу повали́м *: и вас, и ба́шню ва́шу...

— Дай поду́мать,— сказа́л Дане́л.

День склоня́лся к ве́черу.* Патро́нов * оста́лось ма́ло. Сказа́л:

— Хорошо́, мы дади́м вам доро́гу при одно́м усло́вии.*

— Говори́ своё усло́вие.

— Мой отря́д де́ржит э́ту доро́гу до темноты́.

Бе́лый о́чень обра́довался. И сказа́л:

— Хорошо́. Мы отдохнём до но́чи.

Бе́лый пошёл к свои́м, а Дане́л верну́лся в ба́шню. Когда́ ста́ло совсе́м темно́, он привёл к ба́шне коня́, посади́л свою́ мать и отпра́вился в го́ры. А бе́лые це́лую ночь стоя́ли на ме́сте. Когда́ они́ у́тром дви́нулись в го́ры, в доли́не никого́ уже́ не́ было.

Гражда́нская война́, the Civil War of 1918-20, the struggle of workers and labouring peasants under the leadership of the Communist Party for the achievements of the Great October Socialist Revolution against internal and external counter-revolutionary forces (бе́лые)
задержа́ть, to hold
даю́ вам сло́во, I give you my word
скала́, cliff
ба́шня, tower
защища́ть, to defend, guard

пропусти́ть, to let by
ору́жие, weapons
винто́вки, ру́жья, rifles, guns
тропа́, path
заряди́ть, заряжа́ть, to load
ра́нят *from* ра́нить, to wound
пригоди́тся, will come in handy
обры́в, precipice
щель, chink
Пу́ли свисте́ли. The bullets whistled.
ме́тко, accurately
не пропуска́л, didn't allow to approach
взбира́ться, to climb up
стари́нное, ancient
растеря́лся, lost his head, panicked
схвати́лся, grabbed at (a stone)
разру́шить, to destroy
сорва́ться в про́пасть, to fall into the precipice
для перегово́ров, *here*: to parley
следи́ *from* следи́ть, to watch, keep an eye on
спуска́ться, to descend, go down
повали́ть, to bring down, destroy
День склоня́лся к ве́черу. Evening was drawing in.
патро́н, cartridge
усло́вие, condition

22 ию́ня 1941 г. фаши́стская Герма́ния вероло́мно напа́ла на Сове́тский Сою́з. 4 го́да дли́лась война́ — са́мая тяжёлая в исто́рии страны́ — **Вели́кая Оте́чественная война́.**

On June 22, 1941, fascist Germany treacherously attacked the Soviet Union. The Great Patriotic War, the most terrible in the history of the country, lasted for four years.

Заверши́лась она́ по́лной побе́дой Сове́т-

It ended in the total victory of the Soviet

ской Армии. 9 мáя 1945 г. фаши́стская Гермáния капитули́ровала.

В Еврóпе утверди́лся мир.

Army. On May 9, 1945 fascist Germany capitulated.

Peace was secured in Europe.

В. Лéбедев-Кумáч

СВЯЩÉННАЯ ВОЙНА

Вставáй, странá огрóмная,
Вставáй на смéртный бой
С фаши́стской си́лой тёмною,
С прокля́тою ордóй!

Пусть я́рость благорóдная
Вскипáет, как волнá,—
Идёт войнá нарóдная,
Свящéнная войнá!

Не смéют кры́лья чёрные
Над Рóдиной летáть.
Поля́ её простóрные
Не смéет враг топтáть.

свящéнная, sacred
смéртный бой, fateful battle
прокля́тая, damned
ордá, horde
я́рость благорóдная, noble rage
вскипáет, как волнá, boil like a wave, foam

А. Приста́вкин

ЧЕЛОВЕ́ЧЕСКИЙ КОРИДО́Р

Это бы́ло в со́рок пе́рвом году́. Москва́, спаса́я нас, дете́й, от войны́, погрузи́ла в поезда́ и отпра́вила в Сиби́рь. Мы е́хали ме́дленно, задыха́ясь от недоста́тка кислоро́да и страда́я от го́лода. В Челя́бинске нас вы́садили и повели́ на вокза́л. Была́ ночь.

— Здесь есть пи́ща,— сказа́л Никола́й Петро́вич, жёлтый от боле́зни челове́к.

Многоты́сячная толпа́ осажда́ла рестора́н. Бли́же к нам пря́мо на ре́льсах стоя́ли, сиде́ли, лежа́ли лю́ди. Здесь начина́лась о́чередь.

Мы стоя́ли и смотре́ли на о́кна. Там бы́ло тепло́, там раздава́ли лю́дям горя́чую, дымя́щуюся жизнь, наполня́я е́ю таре́лки. Пото́м встал наш Никола́й Петро́вич на я́щик и что́-то закрича́л. И го́лос у него́ сла́бый. Кто смо́жет его́ услы́шать?...

А лю́ди вдруг зашевели́лись. Ма́ленькая тре́щинка расколо́ла чёрную толпу́. А пото́м мы уви́дели ещё: лю́ди взяли́сь за́ руки и образова́ли коридо́р. Челове́ческий коридо́р...

Я пото́м поброди́л нема́ло, но всегда́ мне каза́лось, что я не перестаю́ шага́ть э́тим челове́ческим коридо́ром. А тогда́ — мы шли через него́. И мы не ви́дели лиц, про́сто стена́ больши́х и ве́рных люде́й. И я́ркий свет вдали́. Свет, где нам бы́ло о́чень тепло́, где и нам отвали́ли по це́лой по́рции жи́зни, горя́чей жи́зни, напо́лнив е́ю до краёв таре́лки.

со́рок пе́рвый, 1941 was the year the Great Patriotic War (1941-45) began

задыха́ясь от недоста́тка кислоро́да и страда́я от

7-01327

го́лода, panting for lack of oxygen and starving
Челя́бинск, Chelyabinsk, a town in the southern Urals
осажда́ла, was standing outside; *lit.* besieged
поброди́л нема́ло, travelled quite a bit
нам отвали́ли (*pop.*), we were given

Г. Белоу́сова

НЕ В ШИНЕ́ЛИ

Мы шли́ под Смоле́нск, в со́рок пе́рвом не в фо́рме.
Обра́тно домо́й возврати́лись не все.
В верхо́вьях Десны́ вдоль изра́ненной по́ймы
Моги́лы оку́тал ма́ртовский снег.

Кто жи́вы, те по́мнят взлёт во́ющей ми́ны,
Дно рва в ли́пкой жи́же, внеза́пный налёт.
В мозо́лях ладо́ни и по́тные спи́ны.
И бре́ющий — нет, нещадя́щий полёт.

Чита́тель мой стро́гий, Вы бу́дьте добре́е.
Стихи́ не по фо́рме — они́ не солгу́т.
Пусть их прочита́ет, кто шёл в телогре́йке
Под стра́шный Смоле́нск в со́рок пе́рвом году́.

И пусть их прочту́т те, кому́ уж за со́рок,
Кто́ в стра́шном бою́ замени́ли мужчи́н,
И де́ти тех мам, на лице́ у кото́рых
Побо́льше, чем на́до, глубо́ких морщи́н.

А тех, дороги́х, навсегда́ отреше́нных,
Мы сно́ва здесь ви́дим, в на́шем строю́,
И э́тим стихо́м, не совсе́м соверше́нным,
Об их соверше́нстве я пе́сню пою́.

Смоле́нск, Smolensk, a town in the European part of the USSR on the Dnieper
по́йма, flood land
бре́ющий полёт, low-level flight, hedge-hopping
навсегда́ отрешённые, who have perished

ЛЮБО́ВЬ К ЖИ́ЗНИ

Во вре́мя шту́рма * вра́жеского аэродро́ма * снаря́дом лейтена́нту Коро́вкину переби́ло ру́ки *, разре́зало лицо́ * оско́лками * каби́ны. Истека́я кро́вью *, Коро́вкин дотяну́л повреждённую * маши́ну до аэродро́ма и соверши́л поса́дку.

В го́спитале он спроси́л врача́:

— До́ктор, я смогу́ сно́ва лета́ть?

До́ктор сказа́л:

— Лета́ть вам бо́льше не придётся.*

— Уви́дим ещё! * — сказа́л Коро́вкин.

Но́чью, когда́ в пала́те все засну́ли, Коро́вкин су́нул забинто́ванную * го́лову под поду́шку и стал пла́кать. К утру́ у него́ подняла́сь температу́ра.

Мы сиде́ли в тёплом блиндаже́ * и говори́ли о Коро́вкине.

— Он почита́ть проси́л. Кни́гу на́до таку́ю, что́бы настрое́ние подняла́.

Политру́к * Гола́джий сказа́л:

— Когда́ Влади́мир Ильи́ч Ле́нин был бо́лен, он проси́л доста́ть ему́ кни́жку Дже́ка Ло́ндона. Он оди́н расска́з похвали́л — «Любо́вь к жи́зни». Хорошо́ бы э́ту кни́гу доста́ть.

— А где её доста́ть?

— Доста́ть мо́жно, е́сли на́до.

Гола́джий вы́курил папиро́су, пото́м наде́л шлем, мехові́е перча́тки и вы́шел из блиндажа́.

Бодро́в сказа́л мне:

— Когда́ я в командиро́вку * насчёт горю́чего * е́здил, там с одни́м па́рнем интере́сный слу́чай произошёл.

Вот что мне рассказа́л меха́ник Бодро́в:

— В ка́мере нефтехрани́лища вы́рвало кусо́к стены́. Нефть хлы́нула чёрным пото́ком. Заво́ду грози́ла остано́вка. Рабо́чие сооружа́ли земляны́е барье́ры *, про́буя удержа́ть нефть, но она́ прорыва́ла * на́сыпь и разлива́лась всё ши́ре. Вы́звали водола́за * из по́рта. Наза́ров был весёлый широкопле́чий па́рень. Он наде́л скафа́ндр *, спусти́лся через ве́рхний люк в нефтехрани́лище.

Не́сколько раз пла́стырь вышиба́ло нару́жу *. Наза́ров наконе́ц изловчи́лся * и наложи́л пла́стырь.

Вдруг над верши́ной нефтехрани́лища показа́лось голубо́е пла́мя. Нефть вспы́хнула. Уда́ром тро́са * о стальну́ю кры́шку нефтехрани́лища вы́секло и́скру, и э́того бы́ло доста́точно, что́бы нефть загоре́лась. Пожа́р нефтехрани́лища угрожа́л не то́лько заво́ду, но и окра́инам го́рода. Рабо́чие поле́зли в ого́нь и закида́ли верши́ну нефтехрани́лища мо́крым брезе́нтом *. Без во́здуха пла́мя должно́ бы́ло задохну́ться.

А Наза́ров был там, внутри́, ничего́ не зна́л, споко́йно дожида́ясь распоряже́ния своего́ бригади́ра, что́бы вы́браться нару́жу.

Бригади́р спроси́л:

— Что́ же тепе́рь де́лать, това́рищи? У него́ скафа́ндр в не́фти раски́снет. Разъеда́ет нефть рези́ну. Пусть пла́стырь сдерёт и в пробо́ину * вы́бросится.

Бригади́р взя́лся за телефо́н.

— Ми́ша! — закрича́л он в тру́бку.— У тебя́ наверху́ пожа́р. Сдира́й пла́стырь и выбра́сывайся нару́жу через пробо́ину.

Прикры́в тру́бку ладо́нью, он сказа́л:

— Не хо́чет. Говори́т: «Нефть жа́лко».

Сиде́л он там в не́фти часа́ два. Лю́ди ста́ли на заво́д приходи́ть.

Пожа́рные со всего́ го́рода съе́хались. Ста́ли они́ пла́стырь с кры́ши нефтехрани́лища сдира́ть. Огня́ уже́ не́ было.

Когда́ Наза́рова вы́тянули нару́жу, у него́ костю́м водола́зный разъе́ла нефть. Внутрь залила́сь. Па́рень без па́мяти был *.

Бодро́в вздохну́л и сказа́л:

— Про э́того паренька́ сочини́ть что́-нибудь да в кни́гу, а кни́гу Коро́вкину проче́сть.

Послы́шался гул мото́ра.

Бодро́в кри́кнул мне:

— Гола́джий прилете́л!

Мину́т через два́дцать Бодро́в и Гола́джий вошли́ в блинда́ж.

Гола́джий поле́з в карма́н.

Он вы́нул то́ненькую кни́жку.

С того́ дня прошло́ два ме́сяца.

Одна́жды я уви́дел на аэродро́ме лётчика. На лице́ был шрам.

— Коро́вкин! — кри́кнул я.— Вы́здоровел? * Всё в поря́дке?

— Всё в поря́дке,— сказа́л Коро́вкин,— лета́ю. Вы́здоровел.

По В. Коже́вникову

штурм, storming
вра́жеский аэродро́м, enemy airfield
переби́ло ру́ки, was wounded in the arms
разре́зало лицо́, his face was cut
оско́лки, splinters
истека́я кро́вью, bleeding profusely
повреждённая, damaged

не придётся, you won't
Уви́дим ещё! We'll see about that!
забинто́ванная (голова́), bandaged (head)
блинда́ж, dug-out
политру́к, political instructor
командиро́вка, business trip
насчёт горю́чего, to get some fuel (for aeroplane)
барьеры, barriers
прорва́ла на́сыпь, broke through the dyke
водола́з, diver
скафа́ндр, protective suit
пла́стырь вышиба́ло нару́жу, the patch was forced out
изловчи́лся, managed
уда́ром тро́са ... вы́секло и́скру, a cable striking ... had produced a spark
брезе́нт, tarpaulin
пробо́ина, hole
без па́мяти был, was unconscious
вы́здоровел, recovered

К. Си́монов

РО́ДИНА

Каса́ясь трёх вели́ких океа́нов,
Она́ лежи́т, раски́нув города́,
Покры́та се́ткою меридиа́нов,
Непобеди́ма, широка́, горда́.

Но в час, когда́ после́дняя грана́та
Уже́ занесена́ в твое́й руке́
И в кра́ткий миг припо́мнить ра́зом на́до
Всё, что у на́с оста́лось вдалеке́,

Ты вспомина́ешь не страну́ большу́ю,
Каку́ю ты изъе́здил и узна́л,

Ты вспомина́ешь ро́дину — таку́ю,
Како́й её ты в де́тстве увида́л.

Клочо́к земли́, припа́вший к трём берёзам,
Далёкую доро́гу за леско́м,
Речо́нку со скрипу́чим перево́зом,
Песча́ный бе́рег с ни́зким ивняко́м.

Вот где нам посчастли́вилось роди́ться,
Где на всю́ жизнь, до сме́рти, мы нашли́
Ту горсть земли́, кото́рая годи́тся,
Чтоб ви́деть в ней приме́ты всей земли́.

Да, мо́жно вы́жить в зной, в грозу́, в моро́зы,
Да, мо́жно голода́ть и холода́ть,
Идти́ на сме́рть... Но э́ти три берёзы
При жи́зни никому́ нельзя́ отда́ть.

каса́ясь ... океа́нов, *lit.*: touching (three great) oceans
раски́нув города́, having spread its towns
занесена́, is lifted
ра́зом, at once
припа́вший, lying near
скрипу́чий перево́з, a creaking ferry
ивня́к, a group of willow-trees
нам посчастли́вилось, we had the luck to
кото́рая годи́тся, which enables one
приме́ты, signs

В. Богомо́лов

КЛА́ДБИЩЕ ПОД БЕЛОСТО́КОМ

Католи́ческие кресты́ и ста́рые надгро́бия с на́дписями по-по́льски и по латы́ни. И зе́лень — я́ркая, со́чная, бу́йная.

В тишинé — сквозь стрéкот кузнéчиков — шёпот и éле слы́шное всхли́пывание.

У кáменной огрáды над моги́лкой — посети́тели: двóе старичкóв — он и онá,— мáленькие, скóрбные, одинóкие и жáлкие.

Кто под э́тим зелёным хóлмиком? Их дéти и́ли, мóжет, внýки?..

Подхожý бли́же и ужé я́вственно — шёпот:

— ...Wiczne odpoczywanie racz mu dac Panie...[1]

А за кустóм, над моги́лой пирами́дка с пятиконе́чной звёздочкой. На фотогрáфии — улыбáющийся мальчи́шка, а ни́же нáдпись:

«ГВ. СЕРЖАНТ ЧИНОВ И. Н.
1927—1944 г.»

Смотрю́ с грýстью на стáрых поля́ков и дýмаю: кто он им?... И отчегó сегóдня они́ плáчут над егó моги́лой и мóлятся за упокóй егó души́?..

стрéкот кýзнéчиков, chirp of grasshoppers
я́вственно, *here*: audible
пирами́дка, *here*: grave-stone
Гв. сержáнт, Sergeant in the Guards

В. Богомóлов

СÉРДЦА МОЕГÓ БОЛЬ

Это чýвство я испы́тываю постоя́нно ужé мнóгие гóды, но с осóбой си́лой — 9 мáя * и 15 сентября́.

Кáк-то вéчером вскóре пóсле войны́ в «Гастро-

[1] — ...Дай емý вéчный покóй, гóсподи... (*польск.*).

но́ме» я встре́тился с ма́терью Лёньки За́йцева. Она́ вы́ронила от неожи́данности су́мку и вдруг разрыда́лась.

Я стоя́л, не в си́лах дви́нуться и́ли вы́молвить сло́во.* Никто́ ничего́ не понима́л, а она́ в отве́т на расспро́сы лишь выкри́кивала: «Уйди́те!!! Оста́вьте меня́ в поко́е!..»

В тот ве́чер я ощуща́л себя́ винова́тым и бесконе́чно до́лжным* и э́той ста́рой же́нщине, и всем, кто поги́б — знако́мым и незнако́мым, их матеря́м, отца́м, де́тям и вдо́вам...

Я не могу́ себе́ объясни́ть почему́, но с тех по́р я стара́юсь не попада́ться* э́той же́нщине на глаза́ — она́ живёт в сосе́днем кварта́ле,— обхожу́ стороно́й*.

А 15 сентября́ — день рожде́ния Пе́тьки Юдина; ка́ждый год в э́тот ве́чер его́ роди́тели собира́ют уцеле́вших друзе́й его́ де́тства*.

Прихо́дят взро́слые сорокале́тние лю́ди, но пьют не вино́, а чай с конфе́тами, песо́чным то́ртом и я́блочным пирого́м — с тем, что люби́л Пе́тька.

Во главе́ стола́ ста́вится Пе́тькин стул, его́ ча́шка с души́стым ча́ем и таре́лка, куда́ мать стара́тельно накла́дывает оре́хи в са́харе, са́мый большо́й кусо́к то́рта и горбу́шку я́блочного пирога́*. Бу́дто Пе́тька мо́жет закрича́ть, как быва́ло, во всё го́рло: «Вкуснота́-то кака́я, бра́тцы! Налетай! Нава-ли́сь!*...»

И перед Пе́тькиными старика́ми я чу́вствую себя́ в долгу́; ощуще́ние нело́вкости и винова́тости, что вот я верну́лся, а Пе́тька поги́б, весь ве́чер не оставля́ет меня́.

В заду́мчивости я не слы́шу, о чём говоря́т; я уже́ далеко́-далеко́... До бо́ли клешни́т се́рдце*; я ви́жу мы́сленно всю Росси́ю, где в ка́ждой второ́й и́ли тре́тьей семье́ кто́-нибудь не верну́лся*...

9 ма́я, May 9, Victory Day, to mark the victory in the Great Patriotic War of 1941-45 over Fascist Germany
вы́молвить сло́во, to utter a word
до́лжным, indebted
не попада́ться ... на глаза́, to avoid
обхожу́ стороно́й, keep away from
уцеле́вшие друзья́ его́ де́тства, his surviving childhood friends
горбу́шка ... пирога́, slice of (apple) pie with the edge
Навали́сь! Tuck in!
До бо́ли клешни́т се́рдце. My heart aches.
...кто́-нибудь не верну́лся, someone has not returned from the war

М. Луко́нин

ПРИШЕ́ДШИМ С ВОЙНЫ́

Нам не ре́чи хвале́бные,
Нам не ла́вры нужны́,
Не цветы́ под нога́ми,
Нам, прише́дшим с войны́,
Нет, не э́то.
Нам на́до,
Чтоб ступи́ла нога́
На хле́бные сте́пи,
На цветны́е луга́...

В. Харито́нов

ДЕНЬ ПОБЕ́ДЫ

День Побе́ды, как он бы́л от на́с далёк,
Как в костре́ поту́хшем та́ял уголёк...

Бы́ли вёрсты, обожжённые в пыли́,—
Этот день мы приближа́ли, как могли́.
Этот День Побе́ды —
По́рохом пропа́х.
Это пра́здник —
С сединóю на виска́х.
Это ра́дость —
Со слеза́ми на глаза́х,—
День Побе́ды! День Побе́ды!
Дни и но́чи у марте́новских печей
Не смыка́ла на́ша ро́дина оче́й ...
Дни и но́чи би́тву тру́дную вели́,—
Этот день мы приближа́ли, как могли́.
Здра́вствуй, ма́ма, возврати́лись мы не все́ ...
Босико́м бы пробежа́ться по росе́ ...
Пол-Евро́пы прошага́ли, полземли́,—
Этот день мы приближа́ли, как могли́.
Этот День Побе́ды —
По́рохом пропа́х.
Это пра́здник —
С сединóю на виска́х.
Это ра́дость —
Со слеза́ми на глаза́х,—
День Побе́ды! День Побе́ды!

День Побе́ды, *see notes on p. 106*

Дорого́й чита́тель!

Убеди́лись ли Вы, через каки́е тру́дности прошёл сове́тский наро́д в своéй исто́рии?

Ста́л ли для ва́с яснée хара́ктер сове́тского челове́ка, его́ патриоти́зм, ве́рность в дру́жбе, надёжность, доброта́?

ГЛАВА́ 6

CHAPTER 6

В Ко́смос!

Into Space!

Он сказа́л: «Пое́хали!»
Он взмахну́л руко́й.
Сло́вно вдоль по Пи́терской,
Понёсся над Землёй.

Н. Добронра́вов

He said, "Let's go!"
He waved his hand.
He went tearing round above the Earth As though along Peterskaya Street.

N. Dobronravov

Еди́нственная возмо́жность вы́хода челове́ка во вселе́нную была́ на́йдена. Она́ была́ на́йдена у на́с в Росси́и.

Путь челове́чества к звёздам лежи́т через Ка-лу́гу*. Мир давно́ призна́л э́то. Гениа́льному само-у́чке* обя́зана Калу́га свое́й мирово́й сла́вой.

В Калу́жском до́ме-музе́е Циолко́вского хра-ни́тся стари́нная литогра́фия. Удиви́тельное совпа-де́ние! На литогра́фии, и́зданной в 40-х года́х XIX ве́ка в Москве́ и́ли Петербу́рге*, изображена́ как ра́з Калу́га, над кото́рой лети́т фантасти́чес-кого обли́чья* аппара́т. И на́дпись под литогра́-фией гласи́т: «Возвраще́ние возду хопла́вательной маши́ны из Бомбе́я через Калу́гу в Ло́ндон».

Эта литогра́фия в како́й-то ме́ре оказа́лась проро́ческой. Именно Калу́га ста́ла пе́рвой в ми́ре столи́цей для ракетострои́телей. И бу́дущих звез-допла́вателей*. Именно отсю́да идёт путь в миро-во́е простра́нство. И откры́л э́тот путь удиви́тель-ный челове́к, вели́кий учёный Константи́н Эдуа́р-дович Циолко́вский —«пионе́р межплане́тных со-обще́ний».

Л. Касси́ль

Калу́га, Kaluga, an ancient Russian town on the river Oka. Konstantin Tsiolkovsky lived in Kaluga from 1892.

гениа́льный самоу́чка, a brilliant self-taught person; the reference is to Konstantin Edwardovich

Tsiolkovsky (1857-1935), a Soviet scientist and inventor in the field of aerodynamics and rocketry. He was the founder of modern astronautics. Самоу́чка, Tsiolkovsky became almost deaf as a child, and from the age of 14 taught himself.

Петербу́рг, *see notes on p. 84*

обли́чье, appearance

звездопла́ватели, cosmonauts, astronauts

«Одно́ из ярча́йших воспомина́ний в мое́й жи́зни — встре́ча с Константи́ном Эдуа́рдовичем Циолко́вским. Шёл мне тогда́ два́дцать четвёртый год. Бы́ло э́то в 1929 году́. Прие́хали мы в Калу́гу у́тром. В деревя́нном до́ме, где в ту по́ру жил учёный, мы и уви́дели́сь с ним. Встре́тил нас высо́кого ро́ста стари́к в тёмном костю́ме. Запо́мнились удиви́тельно я́сные глаза́.

Бесе́да была́ не дли́нной, мину́т за три́дцать он изложи́л нам существо́ свои́х взгля́дов. Запо́мнилась одна́ фра́за. Когда́ я заяви́л, что отны́не моя́ цель — проби́ться к звёздам, Циолко́вский улыбну́лся. «Это о́чень тру́дное де́ло, молодо́й челове́к, пове́рьте мне, старику́. Оно́ потре́бует зна́ний, насто́йчивости, во́ли и мно́гих лет, мо́жет, це́лой жи́зни».

Константи́н Эдуа́рдович потря́с тогда́ нас свое́й ве́рой в возмо́жность космопла́вания. Я ушёл от него́ с одно́й мы́слью — стро́ить раке́ты и лета́ть на ни́х».

С. П. Королёв

Королёв Серге́й Па́влович (1906-1966) — сове́тский учёный, констру́ктор раке́тно-косми́ческих систе́м.

Sergei Pavlovich Korolyov (1906-1966) was a Soviet scientist and a builder of space-rockets. A whole series of re-

В исто́рии освое́ния косми́ческого простра́нства с и́менем Королёва свя́зана эпо́ха пе́рвых замеча́тельных достиже́ний. Под его́ руково́дством со́зданы пилоти́руемые косми́ческие корабли́ «Восто́к» и «Восхо́д», на кото́рых впервы́е в исто́рии совершены́ косми́ческий полёт челове́ка и вы́ход челове́ка в косми́ческое простра́нство. Раке́тно-косми́ческие систе́мы, во главе́ разрабо́тки кото́рых стоя́л Королёв, позво́лили впервы́е в ми́ре осуществи́ть за́пуски иску́сственных спу́тников Земли́ и Со́лнца, полёты автомати́ческих межплане́тных ста́нций к Луне́, Вене́ре и Ма́рсу, произвести́ мя́гкую поса́дку на пове́рхность Луны́.

markable "firsts" in the history of space exploration is linked with the name of Korolyov. Under his guidance the manned spaceships *Vostok* and *Voskhod* were built—the spaceships which carried the first man into space, and from which the first sracewalk was made, respectively. Korolyov was the leader of the design team for the spacecraft which enabled the first man-made satellites of the Earth and Sun to be launched, automatic interplanetary stations to fly to the Moon, Venus and Mars, and a soft touchdown to be achieved on the Moon.

«Когда́ рассма́триваешь жизнь Гла́вного Констру́ктора, то многокра́тно убежда́ешься в том, наско́лько своевре́менно появи́лся на

"An examination of the life of the Chief Builder shows again and again just how timely was this man's apperance in the world. His life-

свéт э́тот человéк. Егó биогрáфия неотдели́ма от истóрии самолёта и ракéты, от истóрии всей нáшей страны́. Эту биогрáфию создавáла жизнь, и сам он измен́ял э́ту окружáющую жизнь своéй биогрáфией 〈...〉

Исслéдование косми́ческого прострáнства имéет своё начáло, но концá э́тим трудáм нет, как нет концá вселéнной, где они́ ведýтся. Все бýдущие звёздные пути́ землян́ неотдели́мы от и́мени двáжды Герóя Социалисти́ческого Трудá, лауреáта Лéнинской прéмии, акадéмика Сергéя Пáвловича Королёва — пéрвого Глáвного Конструќтора косми́ческих кораблéй».

В. Севастья́нов,
Герóй Совéтского Союза,
лётчик-космонáвт СССР.

story is inseparable from the history of the aeroplane and the rocket, from the history of our country. Life led him to do what he did, but through what he did he himself altered life.

"Space exploration has been begun, but there is no end to this work, just as there is no end to the universe it is devoted to. All of man's future space flights are bound up with the name of the twice Hero of Socialist Labour, Lenin Prize winner, Academician Sergei Korolyov—the first Chief Builder of spaceships."

V. Sevastianov,
cosmonaut, Hero
of the Soviet Union

Веснóй 1934 гóда в Ленингрáде откры́лась конферéнция по изучéнию стратосфéры.

В ту веснý, когдá Сергéй Пáвлович Королёв броди́л по мóкрому сóлнечному Ленингрáду, в мáленьком, по óкна укры́том сугрóбами селé Клýшине, в избе́ при доро́ге на ста́рый Гжатск, роди́лся ма́льчик. Мать и оте́ц улыба́лись, слу́шая его́ писк, и шёпотом спо́рили — всё не могли́ поня́ть, како́го же цве́та глаза́ у сы́на... И ника́к не мо́г тогда́ в Ленингра́де знать Королёв, что через мно́го о́чень тру́дных лет насту́пит но́вая прекра́сная весна́, когда́ э́тот неве́домый ему́ ма́льчик в я́сных глаза́х свои́х принесёт ему́ о́тблеск но́вого ми́ра, ми́ра чёрного не́ба и голубо́й земли́, ми́ра, кото́рого до него́ не ви́дел никогда́ ни оди́н челове́к.

Я. Голова́нов

Гжатск, Gzhatsk, an ancient Russian town in Smolensk Region. From 1968, the town of Gagarin.
роди́лся ма́льчик, the reference is to Yuri Gagarin (1934-1968), the first Soviet cosmonaut. On April 12, 1961, in the spaceship *Vostok,* he became the first man in space. He was killed in an aeroplane accident during a training flight.

Л. Обу́хова

ЗВЁЗДНЫЙ СЫН ЗЕМЛИ́

12 апре́ля 1961 го́да на́шей э́ры от Земли́ отрыва́ется пе́рвый челове́к, геро́й и люби́мец ве́ка*. Он ухо́дит далеко́, но не остаётся одино́ким.

Сто́я ме́жду не́бом и Землёй, он улыбну́лся и по́днял о́бе руки́ вверх.

— До ско́рой встре́чи!

Пока́ дли́лась гото́вность к ста́рту, ме́жду раке́той и Землёй шёл диало́г. Всё э́то напомина́ло проща́льные полчаса́ на вокза́ле.

Г а г а́ р и н. Как слы́шите меня́?

З е м л я́. Слы́шу хорошо́.

Г а г а́ р и н. Прове́рка телефо́нов и дина́миков прошла́ норма́льно.

З е м л я́. По́нял вас отли́чно.

Г а г а́ р и н. Самочу́вствие хоро́шее, к ста́рту гото́в.

Раздала́сь после́дняя кома́нда, и раке́та ри́нулась* вверх. Гага́рин ли́хо, с чи́сто ру́сским пренебреже́нием к тя́готам и опа́сности сказа́л знамени́тое «Пое́хали!», подба́дривая* не себя́, а те́х, кто остаётся*.

Стре́лки пока́зывали 9 часо́в 07 мину́т по моско́вскому вре́мени.

Росли́ перегру́зки*, с Земли́ го́лос сообщи́л, что прошло́ се́мьдесят секу́нд по́сле взлёта. Он отве́тил бо́дро: «Самочу́вствие отли́чное».

Ста́ли отделя́ться ступе́ни раке́ты.

Тя́жесть схлы́нула*.

Юрий находи́лся в состоя́нии невесо́мости.

Юрий взял бортово́й журна́л* и на́чал вести́ за́писи. По́черк его́ не измени́лся. Это пора́довало его́. Мину́ты понесли́сь неимове́рно* бы́стро.

З е м л я́. Как самочу́вствие?

Г а г а́ р и н. Самочу́вствие отли́чное. Маши́на рабо́тает норма́льно. В иллюмина́торе наблюда́ю Зе́млю.

З е м л я́. Вас по́няли!

Г а г а́ р и н. Продолжа́ется полёт в тени́ Земли́.

Мир необыча́йно расши́рился; Гага́рин чу́вствовал себя́ его́ первооткрыва́телем. И э́то не́ было преувеличе́нием.

Да, Зе́млю до Юрия не ви́дел никто́.

— Красота́! — воскли́кнул он, забы́в, что его́ го́лос полете́л из преде́лов внеземны́х обра́тно на Зе́млю.

Юрий мчи́тся со ско́ростью, бли́зкой к двадцати́ восьми́ ты́сячам киломе́тров в час. Под ни́м поблёскивают океа́ны, видны́ контине́нты.

«С душе́вным тре́петом всма́тривался я в окружа́ющий мир, стара́ясь всё разгляде́ть, поня́ть и осмы́слить».

Подлета́я к жёлтой Африке — она́ оказа́лась в са́мом де́ле жёлтой! — Гага́рин спохвати́лся, что уже́ почти́ опоя́сал Зе́млю.

По моско́вскому вре́мени бы́ло 10 часо́в 15 мину́т. Через де́сять мину́т включа́лась тормозна́я дви́гательная устано́вка.

Кора́бль сошёл с орби́ты. Всё шло хорошо́.

К нему́ возвраща́лась тя́жесть.

Истинный геро́й облада́ет врождённой небоя́знью новизны́, спосо́бностью приближа́ть к себе́ за́втрашнее чу́до на расстоя́ние вы́тянутой руки́.

Он вну́тренне всегда́ был гото́в к по́двигу.

«Восто́к» приближа́лся к земле́. Систе́мы сраб́отали отли́чно, Юрий благополу́чно опуска́лся. Его́ поки́нули делови́тость и напряже́ние. На мину́ту он стал Са́мым Счастли́вым Челове́ком На Све́те.

Внизу́ хорошо́ различа́лась Во́лга*, го́род. Зна́чит, он возвраща́ется на Зе́млю, на Ро́дину.

Обгоре́вший желе́зный шар приземли́лся на вспа́ханном по́ле.

пе́рвый челове́к, геро́й и люби́мец ве́ка, the reference is to Yuri Gagarin (*see notes on p. 113*)
ри́нулась, shot (up)
подба́дривая, encouraging
тех, кто остаётся, those left behind on Earth
перегру́зки, overload
Тя́жесть схлы́нула. The weight subsided.
бортово́й журна́л, log-book
неимове́рно, incredibly

Во́лга, the Volga, a river in the European part of the USSR, the largest in Europe (3,530 km.)

Ю. НАГИ́БИН

О ЧЕМ ДУ́МАЛ ГЕРО́Й

Из «Расска́зов о Гага́рине»

Юрий Гага́рин... Его́ хоте́ли ви́деть стра́ны и наро́ды, короли́ и президе́нты, лю́ди вое́нных и шта́тских профе́ссий, просла́вленные и безве́стные. Гага́рин встреча́лся со все́ми жела́ющими.

Раз, когда́ официа́льная встре́ча зако́нчилась, оди́н из курса́нтов спроси́л:

— О чём вы ду́мали... тогда́?

— Когда́? — спроси́л с улы́бкой Гага́рин.

— Я хоте́л спроси́ть... когда́ вы по доро́жке шли?..

— Вы име́ете в виду́ Вну́ковский аэродро́м? Ра́порт прави́тельству?

— Во!.. — обра́довался курса́нт.

Все бы́ли серьёзны. Вопро́с курса́нта затро́нул что́-то ва́жное в молоды́х ду́шах. Гага́рин шёл через аэродро́м на глаза́х всего́ ми́ра, и э́то бы́ло для ни́х кульмина́цией жи́зни Геро́я, триу́мфом. О чём же ду́мал Геро́й в э́то мгнове́ние своéй жи́зни?..

И Гага́рин улови́л настрое́ние окружа́ющих. Коне́чно, ребя́та мечта́ют о по́двигах, о сла́ве.

Гага́рин молча́л, па́уза затяну́лась.

— Ви́дишь ли, — сказа́л Гага́рин курса́нту, — у меня́ тогда́ развяза́лся шнуро́к на боти́нке. И я об одно́м ду́мал, ка́к бы на него́ не наступи́ть.

...Но́чью курса́нт не мо́г усну́ть. Он воро́чался на ко́йке, вздыха́л.

Он, курса́нт, постоя́нно ду́мал о вся́кой чепухе́:

о де́вушках, футбо́ле, кинофи́льмах, происше́ствиях жи́зни, зачётах, как сла́вно отпусти́ть усы́... И он начина́л сомнева́ться в свои́х возмо́жностях соверши́ть по́двиг.

Гага́рин верну́л ему́ ве́ру в себя́. Впервы́е за мно́го дней курса́нт засыпа́л счастли́вым.

раз, once
Вну́ковский аэродро́м, Vnukovo airport, one of Moscow's main airports

Дорого́й чита́тель!

Не пра́вда ли, что с высоты́ косми́ческого корабля́ осо́бенно я́сно: Земля́ — наш о́бщий дом.

Н. ДАМДИ́НОВ

АПРЕ́ЛЬ

Апре́ль... апре́ль... Восла́вить мне́ ли
Досто́йно весь хара́ктер твой?
Я воздаю́ хвалу́ апре́лю —
Он ма́й приво́дит за собо́й.

И, в синеве́ блужда́я взо́ром,
Апре́ль благословля́ю я
За то́, что он броса́ет зёрна,
Чтоб прорасти́ла их земля́.

. . . .

Апре́ль, принёсший но́вость э́ту:
«Две́рь в ко́смос челове́к откры́л!»
И вся приве́тствует плане́та
Того́, кто э́то соверши́л.

. . . .

Апре́ль!.. А там за ни́м, лику́я,
Салю́том май встреча́ет нас,
Кото́рый, мо́жет, салюту́ет
Тому́, кто ку́рс берёт на Ма́рс!

ГЛАВА́ 7	CHAPTER 7
С чего́ начина́ется Ро́дина...	What goes to make up your Motherland...

М. МАТУСО́ВСКИЙ

С ЧЕГО́ НАЧИНА́ЕТСЯ РО́ДИНА?..

С чего́ начина́ется Ро́дина?
С карти́нки в твоём букваре́,
С хоро́ших и ве́рных това́рищей,
Живу́щих в сосе́днем дворе́.

А мо́жет, она́ начина́ется
С той пе́сни, что пе́ла нам мать.
С того́, что в любы́х испыта́ниях
У на́с никому́ не отня́ть.

. . . .

А мо́жет, она́ начина́ется
Со сту́ка ваго́нных колёс
И с кля́твы, кото́рую в ю́ности
Ты ей в своём се́рдце принёс.

С чего́ начина́ется Ро́дина?..

ДОРО́ГИ

Я люблю́ ходи́ть по доро́гам. Они́ тя́нутся по степя́м, теря́ются в леса́х. Слива́ются одна́ с друго́й, расхо́дятся во все́ сто́роны, что́бы сно́ва сойти́сь, и всегда́ выво́дят к лю́дям, к их дома́м, к их жи́зни.

По С. Воро́нину

С. Никитин

СЧАСТЛИ́ВАЯ

Я лежа́л у сто́га се́на. Их бы́ло мно́го на лугу́. А да́льше пестре́ли разноцве́тные кры́ши изб, сверка́ли на со́лнце ржаны́е поля́, засты́ли в безве́трии дереве́нские тополя́ и ли́пы.

Бы́ло безлю́дье. Кто мог появи́ться здесь? Сморо́дина уже́ отошла́, клю́ква ещё не поспе́ла. Я чу́вствовал, что был оди́н, мо́жет быть, на мно́го киломе́тров вокру́г, и не сра́зу по́нял, что слы́шу челове́ческий го́лос, а не зву́к луго́в и ле́са. Всегда́ прису́тствует в во́здухе по́лдня э́тот то́нкий звук шо́роха листвы́, сви́ста птиц, пле́ска воды́ — неви́димой на́ми жи́зни. Но то, что я услы́шал, офо́рмилось в мело́дию колыбе́льной пе́сни. То́ненький голосо́к пел:

— Уста́ли мы с тобо́й... Гу́ля ты мой, гу́ля.

Как и я, же́нщина была́ уве́рена, что о́на одна́ здесь, и разгова́ривала гро́мко. Она́ присе́ла у сосе́днего сто́га в тени́ дубо́в.

Не́которое вре́мя её не́ было слы́шно, но пото́м, уже́ совсе́м ти́хо, она́ запе́ла:

— С гу́лей к па́пке идём, па́пка ска́жет: заче́м по луга́м в жару́ пошла́. А нам до́ма то́шно, а нам до́ма ску́чно. Печь мы истопи́ли, на крыльце́ сиде́ли. Под крыльцо́м ку́ры ти́хо сто́нут. Ку́рам то́же жа́рко. Па́пка с на́ми распрости́лся, пни, кусты́ корчу́ет.

Молода́я же́нщина с пе́рвенцем на рука́х и счастли́вой тоско́й по му́жу. Разме́ры её сча́стья, ви́димо, смути́ли её, и же́нщина попро́бовала испуга́ть себя́.

— А е́сли нас мо́лния убьёт? — вдруг спроси́ла она́.

С мину́ту она́ помолча́ла. Пото́м послы́шался её счастли́вый смех.

— Вы́думает же глу́пая! Мо́лния! Не́бо я́сное, ту́чек нет. Пойдём потихо́ньку, гу́ленька.

По доро́ге ме́жду стога́ми удаля́лась высо́кая то́ненькая же́нщина в бе́лом, ме́лкими цвето́чками сарафа́не и тако́й же косы́нке. Она́ несла́ на рука́х что́-то тако́е кро́хотное, что почти́ не́ было ви́дно да́же за её у́зкой спино́й.

Было безлю́дье. There was no one around.
сморо́дина, клю́ква, currants, cranberry
гу́ля ты мо́й, my little pet
печь истопи́ли, heated up the stove
па́пка пни, кусты́ корчу́ет, Daddy's digging out tree stumps and bushes

В. Ката́ев

ЦВЕТЫ́

— Ты как себя́ чу́вствуешь? — крича́л я в тру́бку. — Как на́ша до́чка?

— На́ша до́чка ничего́. Спит.

— А кака́я она́?

— Ма́ленькая.

— Я понима́ю, что ма́ленькая. А симпати́чная?

— Очень. Лу́чше всех. Я её ужа́сно люблю́.

— Я её то́же о́чень люблю́. Но всё-таки кака́я она́?

— Како́й ты чуда́к! Я ж тебе́ объясня́ю — ма́ленькая. Симпати́чная. Лу́чше всех. Она́ сего́дня чихну́ла.

— На́сморк? — испу́ганно крича́л я.

— Да нет. Како́й ты чуда́к! Про́сто чихну́ла. На всю́ пала́ту.

Но тут в телефо́не начина́лось щёлканье. Вме́шивались чужи́е голоса́. Это други́е отцы́ торопи́лись услы́шать подро́бности о свои́х де́тях. А я поспе́шно крича́л:

— Приезжа́й скоре́й! Ты не узна́ешь ко́мнату, она́ вся бу́дет в цвета́х.

Я выходи́л на у́лицу. Я броди́л ми́мо магази́нов. С не́жностью рассма́тривал я ку́кол и лоша́док, распашо́нки*, одея́льца*, мячи́. Между те́м Москва́ украша́лась. Зелёные гирля́нды тяну́ли вдоль фаса́дов. Кра́сные поло́тнища* пересека́ли у́лицы. Узкие фла́ги трепета́ли над ста́нциями метро́.

И вот наступи́л май. Я мча́лся на такси́ в роди́льный дом за жено́й и до́чкой. Но по доро́ге я до́лжен был зае́хать в цвето́чный магази́н для того́, что́бы посла́ть домо́й на все́ нали́чные де́ньги* цвето́в. Но бо́же мой, что случи́лось? Магази́н был пуст. Го́лые по́лки.

— Цветы́?.. — задыха́ясь, сказа́л я.

— Нет.

В тече́ние получа́са я объе́здил все цвето́чные магази́ны го́рода. Они́ бы́ли опустошены́.*

Это бы́ло невероя́тно.

— За́ город! На Кля́зьму! Куда́-нибудь!

Шофёр посмотре́л на меня́ с сожале́нием:

— Навря́д ли, това́рищ, где́-нибудь доста́нете. Са́ми понима́ете...

Я ничего́ не понима́л.

Именно в тако́й день! Я веле́л е́хать в роди́льный дом. Слёзы вы́ступили у меня́ на глаза́х, когда́ я уви́дел похуде́вшую жену́ с блестя́щими глаза́ми, кото́рая протяну́ла мне не́что, завёрнутое в голубо́е вя́заное одея́льце. Я стал целова́ть ми́лые, худы́е ру́ки, в то́ же вре́мя пыта́ясь загляну́ть в одея́льце.

— Ти́ше. Ты с ума́ сошёл, — сказа́ла жена́. — Она́ спит. Она́ просту́дится. До́ма посмо́тришь.

Мы поéхали домóй. По дорóге я всё же приподня́л край одея́льца и уви́дел бéленький нос величинóй не бóльше горóшины. Бéрежно прижимáя к груди́ «нáшу дóчку», женá вошлá в кварти́ру и останови́лась в недоумéнии*.

В кóмнате нé было ни одногó цветкá.

Женá огорчи́лась, но, посмотрéв на календáрь, улыбну́лась.

— Ну, я́сно. Ничегó. Обойдёмся без цветóв.

И всё же меня́ огорчáло: в дóме нé было ни одногó цветкá. Я не спáл почти́ всю ночь и забы́лся лишь к утру́*. Я просну́лся от зву́ков мнóжества оркéстров, от кри́ков, от пéсен, от грóхота громкоговори́телей.

— С Пéрвым мáя! — сказáла женá.

Онá стоя́ла с «нáшей дéвочкой» на рукáх и смотрéла в окнó.

Ми́мо дóма шли весёлые колóнны, дви́гались букéты, корзи́ны роз.

Сóлнце сверкáло на золоты́х звёздах Кремля́.

Вся Москвá былá похóжа на огрóмный прáздничный букéт, и мáленькая дéвочка — «нáша дочь», сáмый мáленький и сáмый нóвый человéк нáшего нóвого, весёлого, изуми́тельного ми́ра, — лежáла в сáмой середи́не э́той громáдной корзи́ны цветóв на рукáх своéй мáмы, как мáльчик-с-пáльчик в чáшечке атлáсной рóзы.

распашóнки, baby's clothing
одея́льца, coverlets, small blankets
полóтнища, strips (of material)
нали́чные дéньги, cash
опустошены́, empty
в недоумéнии, in amazement
забы́лся лишь к утру́, it was only towards morning that I dropped off

У ЧЕЛОВЕ́КА ДОЛЖНА́ БЫТЬ СОБА́КА

— Мо́жно войти́?

— Войди́... Как твоя́ фами́лия?

— Я Табо́рка.

— А как тебя́ зову́т? Имя у тебя́ есть?

— Есть ... Са́ша. Но зову́т меня́ Табо́ром.

Дире́ктор шко́лы огля́дывал ма́льчика.

— Подойди́ сюда́ и сядь ... Что у тебя́ за исто́рия?

Ма́льчик сказа́л:

— Когда́ я привёл соба́ку домо́й, ма́ма сказа́ла: «От соба́ки одна́ то́лько грязь!» Кака́я грязь мо́жет быть от соба́ки? От соба́ки одна́ ра́дость. А пото́м прие́хал он и вы́гнал мою́ соба́ку.

— Чем ему́ помеша́ла соба́ка? ... Я не мо́г вы́гнать соба́ку. Я всё вре́мя ду́мал о свое́й соба́ке. Я не зна́л, что он заду́мал уби́ть мою́ соба́ку.

В ко́мнате ста́ло ти́хо. Как по́сле вы́стрела. Дире́ктор сказа́л:

— Табо́р! Хо́чешь, я подарю́ тебе́ соба́ку?

Ма́льчик покача́л голово́й:

— Мне нужна́ моя́ соба́ка.

Дире́ктор встал со сту́ла. Пиджа́к висе́л на его́ худы́х плеча́х. Он подошёл к ма́льчику и наклони́лся к нему́:

— Ты мо́жешь помири́ться с отцо́м?

— Я с ним не ссо́рился.

— Но ты с ним не разгова́риваешь?

— Я отвеча́ю на его́ вопро́сы.

— Он тебя́ когда́-нибудь бил?

— Не по́мню.

— Обеща́й мне, что ты поми́ришься с отцо́м.

— Я бу́ду отвеча́ть на его́ вопро́сы... Пока́ не вы́расту.

— А что ты бу́дешь де́лать, когда́ вы́растешь?
— Я бу́ду защища́ть соба́к.

По Ю. Яковлеву

СОВА́, КОТО́РУЮ ПОЗАБЫ́ЛИ

У знако́мого моего́ жила́ сова́. Она́ так до́лго жила́ у него́, что ста́ла совсе́м ручно́й.

Бо́льше всего́ люби́ла она́ сиде́ть неподви́жно и дрема́ть. Если её сажа́ли на ра́му карти́ны, она́ сиде́ла на ра́ме. Сажа́ли на этаже́рку — сиде́ла на этаже́рке.

Незнако́мые лю́ди ча́сто принима́ли её за чу́чело. Да что незнако́мые, да́же свои́, стира́я пыль с вещи́ц на этаже́рке, ча́сто машина́льно обтира́ли тря́почкой и её.

Сплю́шка умудря́лась споко́йно сиде́ть на руле́ мотоци́кла и́ли велосипе́да — и тогда́ все принима́ли её за тряпи́чный «талисма́н», кото́рый так лю́бят ве́шать на ру́ль мотоцикли́сты и велосипеди́сты.

Бра́ли её с собо́й и в лес, когда́ выезжа́ли за́ город. Сажа́ли на сучо́к, но она́ не оживля́лась и на сучке́. Сиде́ла и дрема́ла, полузакры́в вла́жные свои́ глаза́.

Она́ забы́ла лес. Она́ всё позабы́ла. Сиде́ла и ждала́, когда́ её угостя́т.

А ско́лько раз её где́-нибудь забыва́ли! Верну́тся в лес — сиди́т там, где её забы́ли!

Вот тако́й она́ ста́ла ручно́й и дома́шней.

Одна́жды её опя́ть забы́ли. И забы́ли, где позабы́ли. Поёздили, поиска́ли — да и махну́ли руко́й. А она́, мо́жет, и сейча́с ещё там сиди́т...

По Н. Сладко́ву

этаже́рка, bookcase
сплю́шка, (*coll.*), owl
махну́ли руко́й (*phrase.*), gave up

КАРЛУ́ХА

Карлу́ха — воронёнок. Живёт он во дворе́. Тут он де́ласт всё, что хо́чет. А бо́льше всего́ он хо́чет — пря́тать.

Пря́чет всё, что то́лько в клюв попадёт. Ко́рка попадёт — ко́рку спря́чет, кожура́ от колбасы́ — кожуру́, ка́мешек — ка́мешек. Пря́чет он так. Шага́ет и по сторона́м смо́трит, а как вы́смотрит месте́чко укро́мное — тык в него́ но́сом! Поло́жит и све́рху траво́й прикро́ет. Огляди́тся — никто́ не ви́дел? — и опя́ть пошага́ет. Ещё что́-нибудь пря́тать.

Раз он пу́говицу пря́тал. Су́нул её в са́мую густу́ю траву́. Рома́шки там росли́, колоко́льчики. Стал пу́говицу траво́й прикрыва́ть. Рома́шку наклони́л — рома́шка подняла́сь. Колоко́льчик согну́л — и колоко́льчик подня́лся!

Стара́лся-стара́лся, пря́тал-пря́тал, а пу́говица све́рху лежи́т. Вот она́. У все́х на виду́. Люба́я соро́ка украдёт.

Растеря́лся Карлу́ха. Да́же кри́кнул от удивле́ния. Забра́л свою́ пу́говицу и на но́вое ме́сто пошага́л пря́тать.

А соро́ки уже́ бли́зко в куста́х тарахтя́т. Вот-во́т пу́говицу уви́дят. Скоре́й запихну́л Карлу́ха её под кирпи́ч. Побежа́л, ще́почку принёс, заткну́л ды́рочку. Мо́ху нащипа́л — все щёлочки законопа́тил. Ка́мешек сбо́ку привали́л. И для ве́рности ещё и сам на кирпи́ч сел.

А соро́ки всё равно́ тарахтя́т! Уже́, наве́рное, замышля́ют что́-то.

Карлу́ха се́рдится. Рома́шку сорва́л, ла́пой прижа́л, клю́вом лепестки́ ощи́пывает — так и летя́т во все́ сто́роны. А мне со стороны́ ка́жется, что он на рома́шке гада́ет: украду́т — не украду́т, украду́т — не украду́т?

И всё-таки пу́говицу ту соро́ки у Карлу́хи укра́ли.

По Н. Сладко́ву

воронёнок, a crow chick
тарахтя́т, chatter
запихну́л, shoved
законопа́тил, blocked up

В. Аста́фьев

КУРОПА́ТКА И МАШИ́НА

Мы с това́рищем е́хали к стари́нному ура́льскому го́роду — Солика́мску. Ехали по лесно́й доро́ге. Мы да́же усну́ли.

Вдруг взви́згнули тормоза́, маши́на ре́зко останови́лась, и мы упа́ли с сиде́нья.

— Что случи́лось? Что? — спросо́нья спра́шивали мы у шофёра.

Шофёр мо́лча указа́л вперёд.

Через доро́гу переводи́ла вы́водок цыпля́т куропа́тка, и, как на гре́х, в э́то вре́мя вы́нырнула из-за поворо́та маши́на. Мать куропа́тка поверну́лась гру́дью к маши́не, загора́живая собо́й цыпля́ток. Пе́рья взды́бились на её голове́. Вся она́ взъеро́шилась, и ви́дно бы́ло, как су́дорожно бьётся её го́рло. Она́ квохта́ла. Наве́рное, она́ проси́ла подожда́ть и́ли предупрежда́ла, что в слу́чае чего́ ки́нется в дра́ку — защища́ть жёлтых цыпля́т.

А они́, э́ти цыпля́та, кру́гленькие, пуши́стые, перебега́ли доро́гу, и растворя́лись в боло́тце, подёрнутом камышо́м и траво́й осо́кой. Они́ исчеза́ли на глаза́х, как бу́дто бы́ли не цыпля́та, а огоньки́, кото́рые, косну́вшись сыро́го боло́тца, га́сли.

Цыпля́ток бы́ло штук оди́ннадцать. И пока́ не перебежа́л доро́гу после́дний, пока́ не спря́тался в траве́ — всё стоя́ла куропа́тка с гро́зно взъеро́шенными пе́рьями. И мне каза́лось: она́ защища́ет сейча́с не то́лько дете́й свои́х, а весь лес, всю зе́млю и всё живо́е на э́той земле́.

Глу́хо рабо́тал мото́р маши́ны. Шофёр ждал. Наконе́ц куропа́тка оберну́лась, уви́дела, что ни одного́ цыплёнка не оста́лось на доро́ге, сама́ сошла́ в кюве́т, шевельну́ла осо́ку и скры́лась в ней.

взви́згнули тормоза́, the brakes squealed
вы́водок цыпля́т, a brood of partridge chicks
как на гре́х, as luck would have it
вы́нырнула, came round
пе́рья взды́бились, the feathers puffed up
она́ взъеро́шилась, she became dishevelled
су́дорожно, convulsively
квохта́ла, clucked
ки́нется в дра́ку, would fling herself into an affray
кюве́т, ditch (at the side of road)
осо́ка, sedge

ТРИ́ДЦАТЬ ЗЁРЕН

Но́чью на мо́крые дере́вья упа́л снег, а пото́м его́ охвати́ло моро́зцем, и снег тепе́рь держа́лся на ветвя́х кре́пко.

Прилете́ла сини́чка.

Я отвори́л фо́рточку, положи́л на о́бе перекла́дины рам лине́йку и через ка́ждый сантиме́тр расста́вил конопля́ные зёрна. Пе́рвое зёрнышко оказа́лось в саду́, зёрнышко под но́мером три́дцать — в моёй ко́мнате.

Сини́чка всё ви́дела, но до́лго не реша́лась слете́ть на окно́. Наконе́ц, она́ схвати́ла пе́рвую конопли́нку * и унесла́ её на ве́тку.

Всё обошло́сь благополу́чно. Тогда́ сини́чка подобрала́ зёрнышко но́мер два...

Я сиде́л за столо́м, рабо́тал и вре́мя от вре́мени погля́дывал на сини́цу.

А она́ сантиме́тр за сантиме́тром приближа́лась по лине́йке.

— Мо́жно, я склюю́ ещё одно́ зёрнышко?

И сини́чка улете́ла с очередно́й конопли́нкой на де́рево.

— Ну, пожа́луйста, ещё одно́, ла́дно?

Но вот оста́лось после́днее зерно́. Оно́ лежа́ло на са́мом ко́нчике лине́йки.

Идти́ за ни́м бы́ло так бо́язно!

Сини́чка прокра́лась * в са́мый коне́ц лине́йки и оказа́лась в моёй ко́мнате.

С любопы́тством вгля́дывалась она́ в неве́домый мир. Её осо́бенно порази́ли живы́е зелёные цветы́ и совсе́м ле́тнее тепло́.

— Ты здесь живёшь?

— Да.

— А почему́ здесь нет сне́га?

Вме́сто отве́та я поверну́л выключа́тель. Под потолко́м я́рко вспы́хнул шар плафо́на. *

— Со́лнце! — изуми́лась сини́чка. — А э́то что?

— Это всё кни́ги.

— Что тако́е «кни́ги»?

— Они́ научи́ли зажига́ть э́то со́лнце, расти́ть э́ти цветы́ и те дере́вья, по кото́рым ты пры́гаешь и ещё мно́гому друго́му.

— Это о́чень хорошо́. А ты совсе́м не стра́шный. Кто ты?

— Я — челове́к.

— Что тако́е «челове́к»?

Объясни́ть э́то бы́ло тру́дно, и я сказа́л:

— Ви́дишь ни́тку? Она́ привя́зана к фо́рточке *...

Сини́чка испу́ганно огляну́лась.

— Не бо́йся. Я э́того не сде́лаю. Это и называ́ется у на́с — Челове́к.

— А мо́жно мне съесть э́то после́днее зёрнышко?

— Да, коне́чно! Я хочу́, что́бы ты прилета́ла ко мне́ ка́ждый день. Ты бу́дешь навеща́ть меня́, а я бу́ду рабо́тать. Согла́сна?

— Согла́сна. А что тако́е «рабо́тать»?

— Ви́дишь ли, э́то така́я обя́занность ка́ждого челове́ка. Без неё нельзя́. Все лю́ди должны́ что́-нибудь де́лать. Этим они́ помога́ют друг дру́гу.

— А чем ты помога́ешь лю́дям?

— Я хочу́ написа́ть кни́гу. Таку́ю кни́гу, что́бы ка́ждый, кто прочита́ет её, положи́л бы на своём окне́ по три́дцать конопля́ных зёрен...

По Е. Но́сову

конопли́нка, hemp-seed
прокра́лась, stole, moved quietly
шар плафо́на, lamp (suspended from the ceiling)
фо́рточка, a small hinged pane for ventilation in windows of Russian houses

А. Плато́нов

ЦВЕТО́К НА ЗЕМЛЕ́

Ску́чно Афо́не жить на све́те. Оте́ц его́ на войне́. Мать рабо́тает на моло́чной фе́рме, а де́душка Тит спит на пе́чке. Он и днём спит, и но́чью спит.

— Де́душка, ты не спи́, ты уж вы́спался, — сказа́л у́тром Афо́ня де́душке.

— Не бу́ду, Афо́нюшка, я не бу́ду, — отве́тил дед. — Я лежа́ть бу́ду и на тебя́ гляде́ть.

— А заче́м ты глаза́ закрыва́ешь и со мно́й ничего́ не говори́шь? — спроси́л тогда́ Афо́ня.

— Ны́нче * я не бу́ду, — обеща́л де́душка Тит.

— А отчего́ ты спишь, а я нет?

— Мне годо́в мно́го *, Афо́нюшка ... Мне без трёх девяно́сто бу́дет.

— А тебе́ ведь темно́ спать, — говори́л Афо́ня. — На дворе́ со́лнце гори́т, там трава́ растёт, а ты спишь — ничего́ не ви́дишь.

— Да я уже всё ви́дел, Афо́нюшка.

— А отчего́ у тебя́ глаза́ бе́лые?

— Они́ вы́цвели,* Афо́нюшка, они́ от све́та вы́цвели и сла́бые ста́ли, мне гляде́ть ведь до́лго пришло́сь.

Афо́ня осмотре́л де́да.

Ру́ки у де́душки лежа́ли на столе́; они́ бы́ли больши́е, ко́жа на ни́х ста́ла, как кора́ на де́реве, и под ко́жей видны́ бы́ли то́лстые чёрные жи́лы, э́ти ру́ки мно́го земли́ испаха́ли.

Афо́ня погляде́л в глаза́ де́ду.

— Не спи́, де́душка! — попроси́л Афо́ня.

Но де́душка уже́ спал. Афо́ня же оста́лся оди́н и опя́ть ему́ ску́чно ста́ло... Он ходи́л вокру́г стола́, смотре́л на му́х, пото́м Афо́ня слу́шал, как ды́шит дед, смотре́л через окно́ на пусту́ю у́лицу и сно́ва ходи́л вокру́г стола́.

— Мáмы нéту, пáпы нéту, дéдушка спит, — говори́л Афóня сам себé.

Потóм он посмотрéл на часы́, как они́ идýт. Часы́ шли дóлго и скýчно; тик-тáк, тик-тáк.

Афóня останови́л мáятник у часóв, стáло ти́хо.

Дéдушка Тит очнýлся и спроси́л:

— Ты чегó, Афóня?

— А ты не спи́! — сказáл Афóня. — Ты скажи́ мне про всё!

— Обожди́, * — произнёс дед.

Стáрый Тит взял Афóню зá руку, и они́ пошли́ нарýжу.

Сóлнце высокó стоя́ло на нéбе и освещáло зрéющий хлеб на поля́х.

Дед повёл Афóню полевóю дорóгой, и они́ вы́шли на пáстбище, где рос слáдкий клéвер для корóв, трáвы и цветы́. Дед останови́лся у голубóго цветкá, показáл на негó Афóне, потóм согнýлся и осторóжно потрóгал тот цветóк.

— Это я сам знáю! — сказáл Афóня. — А мне нýжно, что сáмое глáвное бывáет, ты скажи́ мне про всё!

Дéдушка Тит задýмался.

— Тут сáмое глáвное тебé и есть! .. Ты ви́дишь: песóк мёртвый лежи́т, он кáменная крóшка, а кáмень не живёт и не ды́шит. Пóнял? А цветóк, ты ви́дишь, живóй, и тéло себé он сдéлал из мёртвого прáха. Он мёртвую зéмлю обращáет в живóе тéло и пáхнет * от негó самогó чи́стым дýхом. Вот тебé и есть сáмое глáвное дéло на бéлом свéте, вот тебé и есть, откýда всё берётся. Цветóк этот — сáмый святóй трýженик, он из смéрти рабóтает * жизнь...

— А мы с тобóй?

— И мы с тобóй. Мы пáхари *, мы хлéбу расти́ помогáем. А э́тот вот жёлтый цвет на лекáрство идёт, его́ в апте́ке беру́т. Ты́ бы нарва́л их да снёс *. Оте́ц твой на войне́; вдруг ра́нят его́ и́ли он от боле́зни осла́бнет, вот его́ и поле́чат лека́рством.

Афо́ня заду́мался среди́ трав и цвето́в. Он сам, как цвето́к, то́же захоте́л тепе́рь де́лать из сме́рти жизнь; он ду́мал о то́м, как рожда́ются из сыпу́чего ску́чного песка́ голубы́е, кра́сные, жёлтые счастли́вые цветы́.

— Тепе́рь я сам зна́ю про всё! — сказа́л Афо́ня. — Иди́ домо́й, де́душка. Ты спи, а когда́ умрёшь, ты не бо́йся, я узна́ю у цвето́в, как они́ из пра́ха живу́т, и ты опя́ть бу́дешь жить из своего́ пра́ха. Ты, де́душка, не бо́йся!

Дед Тит ничего́ не сказа́л. Он неви́димо улыбну́лся своему́ до́брому вну́ку и пошёл спать в избу́.

А ма́ленький Афо́ня оста́лся оди́н в по́ле. Он собра́л жёлтых цвето́в, ско́лько мог их удержа́ть, и отнёс в апте́ку на лека́рства. В апте́ке Афо́не да́ли за цветы́ желе́зный гребешо́к. Он принёс его́ де́ду и подари́л ему́: пусть тепе́рь де́душка че́шет себе́ бо́роду тем гребешко́м.

— Спаси́бо тебе́, Афо́нюшка, — сказа́л дед. — А цветы́ ничего́ не ска́зывали, * из чего́ они́ в мёртвом песке́ живу́т?

— Не ска́зывали, — отве́тил Афо́ня. — Ты вот ско́лько живёшь, и то не зна́ешь. А говори́л, что зна́ешь про всё. Ты не зна́ешь.

— Пра́вда твоя́, — согласи́лся дед.

— Они́ мо́лча живу́т, на́до у ни́х допыта́ться, — сказа́л Афо́ня. — Чего́ все цветы́ молча́т, а са́ми зна́ют?

Дед кро́тко улыбну́лся и погла́дил голо́вку вну́ка и посмотре́л на него́, как на цвето́к. А пото́м де́душка спря́тал гребешо́к и опя́ть засну́л.

ны́нче (*pop.*), now

мне годо́в мно́го (*pop.*), I'm old
вы́цвели, they have faded, lost their colour
обожди́ (*pop.*), just a moment
па́хнет ... чи́стым ду́хом, it smells fresh
рабо́тает, *here*: makes
па́хари, ploughmen
снёс (*pop.*), take to (the chemist's)
ска́зывали (*pop.*), said

Ю. Наги́бин

ЗАБРО́ШЕННАЯ ДОРО́ГА

Ча́сто быва́ет, что чудеса́ нахо́дятся во́зле нас — протяни́ ру́ку и возьми́, а мы не подозрева́ем * об э́том!

Зага́дочен был этот све́тлый и чи́стый берёзовый и оси́новый лесо́к. *

Чем да́льше я шёл, тем плотне́е росли́ дере́вья, трава́ подняла́сь, ста́ла в полови́ну моего́ ро́ста, а стро́йные ро́зовые цветы́ вознесли́сь куда́ вы́ше мое́й головы́, и всё трудне́е пробира́ться вперёд. И тут я набрёл * на э́того ма́льчика, и сверши́лось гла́вное чу́до дня.

Небольшо́й, ху́денький, с у́зким лицо́м, загоро́женным кру́глыми очка́ми * в то́лстой опра́ве, он поло́л, * сло́вно огоро́дную гряду́ *, неве́сть отку́да взя́вшееся тут, гу́сто заро́сшее булы́жное шоссе́. *

Ма́льчик не то́лько поло́л шоссе́, он укрепля́л его́ по края́м.

— Здра́вствуй, — сказа́л он, оберну́вшись и доброжела́тельно гля́дя на меня́ больши́ми кори́чневыми глаза́ми из-за кру́глых пло́ских стёкол.

— Здра́вствуй, — отозва́лся я. — Заче́м ты но́сишь очки́? У тебя́ же просты́е стёкла.

— Когда́ ве́трено, доро́га пыли́т, — поясни́л он.

— А что э́то за доро́га? Я никогда́ её ра́ньше не ви́дел.

— Не зна́ю ... Ты не хо́чешь мне помо́чь?

Я пожа́л плеча́ми и, нагну́вшись, вы́драл куст чертополо́ха * с тёмно-кра́сными цвета́ми. Зате́м я потащи́л како́е-то дли́нное расте́ние. Расте́ние не поддава́лось. Я изре́зал ладо́ни, пока́ наконе́ц вы́рвал его́ из земли́. Неда́ром у ма́льчика ру́ки бы́ли в кровяны́х сса́динах.

— Слу́шай, а заче́м тебе́ э́то ну́жно? — спроси́л я.

— Ты́ же ви́дишь, доро́га заросла́. На́до её расчи́стить.

— А заче́м? — упо́рствовал я.

— Ну ка́к же?... — У него́ был ве́жливый, мя́гкий и терпели́вый го́лос. — Цветы́ и трава́ свои́ми корня́ми разруша́ют доро́гу.

— Я не о то́м!.. Заче́м на́до, что́бы она́ не разруша́лась?

Он осторо́жно сня́л очки́, ему́ хоте́лось получше рассмотре́ть челове́ка, задаю́щего таки́е несура́зные вопро́сы. *

— Если доро́га разру́шится, она́ исчёзнет и никто́ не узна́ет да́же, что тут была́ доро́га.

— Ну и чёрт с ней! — сказа́л я раздражённо. — Она́ всё равно́ никуда́ не ведёт!

— Все доро́ги куда́-нибудь веду́т, — сказа́л он с убеждённостью и принялся́ за рабо́ту. — Посуди́ сам, * ра́зве ста́ли бы её стро́ить, е́сли б она́ никуда́ не вела́?

— Но раз её забро́сили, * зна́чит, она́ не нужна́?

Он заду́мался.

— Ра́зве мы зна́ем, почему́ доро́гу забросили *? А мо́жет быть, кто́-то на друго́м конце́ то́же про́бует её расчи́стить? Кто́-то идёт мне навстре́чу, и мы встре́тимся. Нельзя́ доро́гам зараста́ть, * — сказа́л он твёрдо. — Я обяза́тельно её расчи́щу.

— У тебя́ не хва́тит сил.

— У меня́ одного́ — нет. Но кто́-то идёт мне навстре́чу, и, мо́жет быть, прошёл уже́ полпути́... Доро́га — э́то о́чень ва́жно. Без доро́г никто́ никогда́ не бу́дет вме́сте.

Сму́тная дога́дка шевельну́лась во мне́.

— У тебя́ кто́-нибудь уе́хал далеко́?

Он не отве́тил и отверну́лся.

— Я бу́ду тебе́ помога́ть! — неожи́данно для себя́ самого́ вскрича́л * я.

— Спаси́бо, — сказа́л он и́скренне. — Приходи́ сюда́ за́втра у́тром, сего́дня уже́ по́здно, пора́ домо́й.

— А где ты живёшь?

— Там... — махну́л он, подня́лся, спря́тал очки́ в карма́н и пошёл прочь, перепа́чканный, уста́лый, тщеду́шный, * и вско́ре скры́лся за куста́ми.

На друго́й день я устреми́лся в лес.

Я мча́лся сквозь ольша́ник, * охва́ченный жгу́чим нетерпе́нием * и предвкуше́нием * встре́чи с ма́льчиком на заро́сшем булы́жном шоссе́. Я был уве́рен, что без труда́ отыщу́ шоссе́.

Я так и не нашёл забро́шенного шоссе́. Всё бы́ло похо́же на вчера́шнее: и дере́вья, и тра́вы, но не́ было ни шоссе́, ни ма́льчика с кори́чневыми глаза́ми. До зака́та мы́кался * я по́ лесу, изму́ченный, голо́дный, но всё бы́ло тще́тно *...

Мне никогда́ уже́ не попада́лось забро́шенное шоссе́.

Но с года́ми я по-ино́му по́нял наставле́ния * ма́льчика. В моём се́рдце начина́лось мно́го доро́г, веду́щих к ра́зным лю́дям: и бли́зким, и далёким, и к тем, о ко́м ни мину́ты нельзя́ забы́ть, и к почти́ забы́тым. Вот э́тим доро́гам был я ну́жен, и я стал на ва́хту. * Я не жале́л ни труда́, ни ру́к, не дава́л сорняка́м глуши́ть, разруша́ть их. Но е́сли я преуспева́л * в э́том, то лишь потому́, что вся́кий раз с друго́го конца́ доро́ги начина́лось встре́чное движе́ние.

не подозрева́ем, we do not suspect
зага́дочен был э́тот... лесо́к, this wood was mysterious
набрёл, I came upon
с лицо́м, загоро́женным очка́ми, with a face enclosed in glasses
поло́ть (траву́), to weed (the grass)
огоро́дная гряда́, vegetable plot
булы́жное шоссе́, cobbled road
чертополо́х, thistle
несура́зные вопро́сы, absurd questions
посуди́ сам, judge for yourself
забро́сили (доро́гу), have neglected (the road)
Нельзя́ доро́гам зараста́ть, Roads shouldn't be overgrown
вскрича́л, I exclaimed
тщеду́шный, puny
ольша́ник, alder thicket
жгу́чее нетерпе́ние, burning impatience
предвкуше́ние, anticipation
мы́кался я, I wandered
тще́тно, in vain
наставле́ние, admonition
я встал на ва́хту, I began to work hard at this
преуспева́л, succeeded

Ю. Оле́ша

НАТА́ША

Старичо́к сел за сто́л. Стол был накры́т на одного́. Стоя́ли кофе́йник, моло́чник, стака́н в подстака́ннике с ослепи́тельно горя́щей в со́лнечном луче́ ло́жечкой и блю́дечко, на кото́ром лежа́ли два яйца́.

Старичо́к ду́мал о то́м, что его́ дочь Ната́ша пло́хо к нему́ отно́сится. В чём э́то выража́ется? В том, что он за́втракал оди́н. Ей ка́жется, что его́ жизнь должна́ быть обосо́бленной.

Ты изве́стный профе́ссор, и ты до́лжен жить комфорта́бельно.

«Ду́ра, — ду́мает профе́ссор, — кака́я она́ ду́ра! Я до́лжен за́втракать оди́н. И до́лжен чита́ть за за́втраком газе́ты. Где она́ э́то ви́дела? В кино́? Вот ду́ра».

— Ната́ша! — позва́л он.

Ната́ши не́ было до́ма. Он реши́л поговори́ть с ней. «Я с ней поговорю́». Он о́чень люби́л дочь.

Поза́втракав, старичо́к вы́шел и́з дому.

У крыльца́ его́ ждал автомоби́ль.

Шофёр протяну́л профе́ссору конве́ртик. Пое́хали. Профе́ссор чита́л письмо́:

«Не серди́сь, не серди́сь, не серди́сь. Я побежа́ла на свида́ние. Штейн о́чень хоро́ший па́рень. Он тебе́ понра́вится. Я его́ тебе́ покажу. Не се́рдишься? Нет? Ты за́втракал? Целу́ю. Верну́сь ве́чером».

Автомоби́ль е́хал по за́городной доро́ге.

Зате́м старичо́к шёл по коле́но в траве́.

Он шёл в го́ру, вы́тер пот, посмотре́л на мо́крую ладо́нь, опя́ть пошёл.

Уже́ появи́лись в не́бе парашю́ты.

Он останови́лся и стал смотре́ть. Оди́н, два,

три, четы́ре ... А-а... вот он, вот! ... Полоса́тый! Полоса́тый парашю́т.

Профе́ссор огляну́лся. Внизу́ стоя́л си́ний, ма́ленький, дли́нный автомоби́ль. Цвели́ дере́вья. Всё бы́ло о́чень похо́же на сновиде́ние: не́бо, весна́, пла́вание парашю́тов.

Так он простоя́л до́лго. Когда́ он верну́лся домо́й, Ната́ши не́ было. Он сел и просиде́л так час. Пото́м встал и пошёл к телефо́ну. И в э́ту секу́нду телефо́н позвони́л. Профе́ссор знал, что ему́ ска́жут, он то́лько не зна́л, како́й ему́ ска́жут а́дрес.

Ему́ сказа́ли а́дрес. Он отве́тил:

— Я не волну́юсь. Кто вам сказа́л, что я волну́юсь?

Через де́сять мину́т стра́шной го́нки по у́лицам старичо́к надева́л бе́лый хала́т и шёл по дли́нному парке́тному по́лу.

Откры́в стекля́нную дверь, он уви́дел смею́щееся лицо́ Ната́ши. На середи́не поду́шки. Пото́м он услы́шал, как сказа́ли: «Ничего́ стра́шного». Это сказа́л молодо́й челове́к. На нём был тако́й же хала́т.

— Непра́вильно приземли́лась. *

Она́ повреди́ла но́гу. *

— Ты знал? — спроси́ла Ната́ша.

— Знал. Я приезжа́л, стоя́л, как дура́к, в траве́ и смотре́л!

Старичо́к запла́кал. Запла́кала и Ната́ша.

— Я ду́мала, что ты мне не позво́лишь пры́гать.

— Ты, — сказа́л профе́ссор, — обма́нывала меня́. Говори́ла, что на свида́ние хо́дишь. Я, как дура́к, стоя́л в траве́... Стою́, жду ... когда́ полоса́тый раскро́ется...

— Я не с полоса́тым пры́гала! С полоса́тым Штейн пры́гает!

— Штейн? — спроси́л старичо́к. — Како́й Штейн?

— Это я Штейн, — сказа́л молодо́й челове́к.

приземли́лась, landed
повреди́ла но́гу, she had hurt her leg

Ю. Оле́ша

АЛЬДЕБАРА́Н

На скамье́ сиде́ла компа́ния: де́вушка, молодо́й челове́к и учёный стари́к. Бы́ло ле́тнее у́тро.

Молодо́й челове́к сказа́л:

— Я сего́дня свобо́дный весь день.

— Я то́же, — сказа́л учёный стари́к.

Молодо́й челове́к был Са́ша Цвибо́л.

Стари́к говори́л зво́нко, те́нором. Это был краси́вый и вполне́ здоро́вый стари́к.

Зва́ли его́ Боге́мский.

Он влюби́лся в де́вушку. Она́ сиде́ла ря́дом.

— Мы пое́дем с Са́шей на́ реку, — сказа́ла де́вушка.

Старика́ на́ реку не пригласи́ли.

— А вдруг пойдёт дождь? — сказа́л Боге́мский.

— Не пойдёт, — сказа́л Цвибо́л.

Они́ по́дняли го́ловы. Не́бо бы́ло чи́стое. Си́нее не́бо.

Боге́мский шёл в неопределённом направле́нии. Он был высо́к и стро́ен. Он шага́л, как ю́ноша. На седы́х кудря́х стоя́ла чёрная шля́па. Он был тем пешехо́дом, кото́рого поба́иваются * псы. Он идёт. Пёс, бегу́щий навстре́чу, вдруг остана́вливается, смо́трит секу́нду и перебега́ет на другу́ю сто́рону. Там он смо́трит пешехо́ду вслед.

Богéмский шёл и размышля́л о дéвушке. «Первокла́ссная дéвушка. * При други́х усло́виях она́ вертéла бы исто́рией *».

Он по́здним вéчером говори́т с ней по телефо́ну.

— Ка́тя, — говори́т он, — я люблю́ вас. Смешно́? Вы слу́шаете меня́? Я спра́шиваю: любо́вь старика́ — э́то смеши́т вас? Я не прошу́ о мно́гом. Если вы — бу́ря, то я мечта́ю о ка́пле... Очень тру́дно говори́ть о́бразно по телефо́ну. Вы слу́шаете? Ка́ждый день вы прово́дите с Цвибо́лом. Вéчером сверка́ют звёзды. Вы сиди́те с Цвибо́лом под звёздами. Любо́вь, звёзды... я понима́ю. Зна́ет ли Цвибо́л прекра́сные имена́ звёзд? Вéга, Бетельгéйзе, Аркту́р, Анта́рес, Альдебара́н. Я мечта́ю о то́м, что́бы пойти́ с вами в кинемато́граф. * Но в лéтний вéчер вы предпочита́ете звёзды. Ка́тя, я говорю́ по автома́ту.

Меня́ торо́пят. Если за́втра пого́да испо́ртится, пойдёт дождь — согла́сны ли вы пойти́ со мно́й в кинемато́граф?

— Хорошо́. Если звёзд не бу́дет.

Утро бы́ло чи́стое, безо́блачное.

Появи́лась ту́ча.

Сперва́ её лоб. Широ́кий лоб.

Ли́вень продолжа́лся два часа́.

Наступи́л вéчер.

Звёзд нé было.

Дождь то появля́лся, то исчеза́л.

Богéмский купи́л два билéта на предпослéдний сеа́нс и стал ждать Ка́тю.

Она́ не пришла́. Он ждал час и ещё чéтверть часа́. И пото́м ещё чéтверть.

Он пришёл в переу́лок, подошёл к до́му. Здесь живёт Ка́тя. Он уви́дел тёмное окно́. Нет до́ма.

Он стал ходи́ть взад и вперёд.

Они появи́лись из-за угла́. Ка́тя и Цвибо́л. Они́ шли обня́вшись.

— Вы обману́ли меня́, Ка́тя, — сказа́л Богé мский.

— Нет, — отве́тила Ка́тя.

— Дождь, — сказа́л Боге́мский.

— Дождь, — согласи́лись они́.

— Звёзд не́ было, — сказа́л он.

— Звёзды бы́ли.

— Непра́вда. Ни одно́й звезды́.

— Мы ви́дели звёзды.

— Каки́е?

— Все.

— Аркту́р, — сказа́л Цвибо́л.

— Бетельге́йзе, — сказа́ла Ка́тя.

— Анта́рес, — сказа́л Цвибо́л.

— Альдебара́н, — сказа́ла Ка́тя и засмея́лась.

— Мы ви́дели звёзды ю́жного не́ба. Мы ви́дели Южный Крест...

— Я понима́ю, — промыча́л Боге́мский.

— Мы бы́ли в планета́рии, — сказа́л Цвибо́л.

— Те́хника, — вздохну́ла Ка́тя.

побáиваться, to be a little afraid
кинемато́граф (*obs.*) cinema
первокла́ссная де́вушка (*coll.*), first-rate girl
верте́ть исто́рией (*coll.*), to change the course of history

М. Траа́т

ИГРУ́ШЕЧНАЯ МЕ́ЛЬНИЦА

Был пе́рвый день их отпуска. Оба ожида́ли его́ с нетерпе́нием.

Ле́а хо́чет показа́ть му́жу дом, где она́ жила́ в де́тстве.

Доро́га бежи́т ме́жду поля́ми и ро́щами.

По э́той доро́ге Ле́а ходи́ла в шко́лу.

Здесь, по доро́ге в шко́лу, она́ мечта́ла об игру́шечной ме́льнице.* Ма́ленькой ме́льнице, чтоб была́ как настоя́щая и ве́село верте́лась у ручья́, под мосто́м, а круго́м журча́ла вода́* и пе́ли пти́цы.

Об игру́шечной ме́льнице весно́ю и о́сенью.

Её ме́льница. То́лько её.

— Гляди́, лес, — вдруг говори́т Ле́а и пока́зывает на ро́щу.

Девчо́нкой Ле́а боя́лась э́той ро́щи. Одна́жды у́тром по́здней о́сенью она́ шла в шко́лу. Бы́ло темно́, и мороси́л дождь.

В куста́рнике она́ уви́дела во́лка.

Се́рый подбежа́л к Ле́а и ткнул её мо́рдой.

— Что́ же да́льше?

— Это была́ соба́ка Вя́йно.

— Како́го Вя́йно?

— По́мнишь, я говори́ла.

На её кри́ки из воро́т вы́шел Вя́йно и отозва́л соба́ку.* Ещё и поворча́л:* что ты кричи́шь, она́ никого́ не тро́нет. Вя́йно был вы́ше её на це́лую го́лову.

Где он тепе́рь и кем стал?

Вя́йно дразни́л Ле́а, лез дра́ться по доро́ге домо́й и на уро́ках.

Ле́а как ребёнок ска́чет и поёт. Она́ в стране́ воспомина́ний, куда́ давно́ уже́ мечта́ла попа́сть. Мечта́ испо́лнилась. Сего́дня у неё лу́чший день за после́дние го́ды.

Же́нщина рвёт на краю́ по́ля, во ржи́, васильки́.

Ле́а сплета́ет вено́к и надева́ет на го́лову.

Когда́ семья́ Ле́а перее́хала в го́род, де́вочка взяла́ с собо́й василько́вый вено́к и не́сколько лет храни́ла его́ среди́ свои́х книг.

Она́ поро́й вынима́ла его́, разгля́дывала и пря́тала сно́ва. Он буди́л в ней воспомина́ния.

Тогда́ она́ о́чень хоте́ла нра́виться кому́-то, кого́ ещё не зна́ла.

А сейча́с ря́дом с не́ю вме́сто того́, неизве́стного, стои́т муж. И для Ле́а вообще́ ва́жно не то́, како́й он, а то — замеча́ет ли он, что происхо́дит с ней.

Дога́дывается ли он, что вено́к сплетён для него́, что́бы нра́виться ему́?

— Ты как лесна́я фе́я, — смеётся Март.

— Да, — отвеча́ет Ле́а. — Завлеку́ тебя́ в лес *, и никогда́ не вернёшься на свою́ фа́брику.

Муж и жена́ вхо́дят в лес. Они и́щут ме́сто, куда́ присе́сть.

Ле́а достаёт бутербро́ды. Она́ улыба́ется. Март жа́дно вгрыза́ется в хлеб с колбасо́й.

Ле́а собира́ет с пня оста́тки еды́. Март хо́дит по́ лесу. Вско́ре из густо́го оси́нника доно́сится его́ крик:

— Ле́а!

— Что тако́е?

— Иди́ сюда́!

Март стои́т под большо́й оси́ной и разгля́дывает бу́квы на стволе́: «Ле́а».

— Это твоё и́мя вы́резано, а?

Же́нщина красне́ет. Это рабо́та Вя́йно.

Де́рево давно́ ей знако́мо.

Одна́жды весно́й, когда́ Ле́а брела́ из шко́лы, перед ле́сом её нагна́л Вя́йно. И пошёл по друго́й обо́чине шоссе́.*

— Дай, я понесу́ твой портфе́ль, — сказа́л Вя́йно.

Ле́а сжа́ла па́льцы, держа́щие ру́чку портфе́ля. Вя́йно вы́рвал портфе́ль, они́ пошли́ да́льше.

Вя́йно вскара́бкался * на э́ту са́мую оси́ну, захвати́в с собо́й её портфе́ль. Сел на ве́рхний сук, кача́л ного́й и смея́лся.

Ле́а зна́ла, что ей не доста́ть портфе́ля с де́рева. Перед до́мом Вя́йно побежа́л за не́ю, останови́лся и сказа́л:

— Проси́, тогда́ сниму́!

— Пожа́луйста!

— Проси́ по-хоро́шему!

Ле́а оби́женно молча́ла.

— Как же ты доста́ла портфе́ль?

— Нашла́ на друго́е у́тро в па́рте.

— Слу́шай, сли́шком уж мно́го мы говори́м об э́том Вя́йно.

Ле́а удиви́лась, хотя́ муж то́лько шути́л.

— Како́е ты имее́шь пра́во ревнова́ть?

— Пра́во мужчи́ны, — самоуве́ренно говори́т Март.

Ле́а смеётся.

Эти слова́ она́ уже́ слы́шала одна́жды. Не́сколько лет наза́д, зимо́й.

Перед уро́ком биоло́гии, когда́ все жда́ли учи́теля, Вя́йно подошёл к Ле́а и поцелова́л.

Ле́а промо́лвила:

— Како́е ты име́ешь пра́во?

— Пра́во мужчи́ны, — самоуве́ренно отве́тил Вя́йно.

Ле́а смо́трит на му́жа, на мгнове́ние ей ка́жется, что э́то то́т же са́мый Вя́йно.

Смо́трит и ду́мает: «Так э́то тот са́мый, о кото́ром я мечта́ла?!»

— Сде́лай мне игру́шечную ме́льницу! — про́сит она́.

Игру́шечная ме́льница!

Така́я ме́льница была́ когда́-то.

Тогда́ в лесу́ Ле́а броди́ла у ручья́ и уви́дела Вя́йно.

Паренёк не заме́тил её. Она́ заинтересова́лась: что э́то он так мастери́т. Вя́йно огляну́лся.

То была́ ме́льница.

— Хо́чешь, я её подарю́ тебе́? — ти́хо спроси́л Вя́йно.

Ле́а кивну́ла.

— Поцелу́й меня́ — и бери́ ме́льницу! — смея́сь, сказа́л он.

Паренёк нагну́л лицо́ и ждал.

Ле́а закати́ла ему́ зво́нкую пощёчину.

Вя́йно стра́шно оби́делся.

— Не хо́чешь — не на́до. Ты проти́вная девчо́нка и эгои́стка. Я подарю́ ме́льницу Ма́йке, у неё краси́вые ко́сы!

Ле́а побрела́ обра́тно, се́ла на криву́ю ветлу́ * и ста́ла смотре́ть на своё отраже́ние.

Ра́ньше Ле́а не пыта́лась узна́ть, краси́вая она́ и́ли некраси́вая. Сейча́с она́ показа́лась себе́ страши́лищем.* Слёзы зака́пали в во́ду.

Це́лый день Ле́а ходи́ла с запла́канными глаза́ми. Вя́йно не́ было ви́дно. Ме́льница крути́лась ве́село, вода́ журча́ла, и я́рко свети́ло со́лнце. Ме́льница пода́рена Ма́йке, её сосе́дке по па́рте. Отча́яние нараста́ло. Ве́чером она́ наде́ла пальто́ и пошла́ к ручью́. Полома́ла всё и бро́сила в пото́к.

Потому́ что э́то её ме́льница. Сде́лана для неё.

Ме́льницы бо́льше не́ было, но ей не ста́ло ле́гче. Злость прошла́, а тоска́ оста́лась, тоска́ по ме́льнице. И мно́го лет спустя́, весно́й, когда́ та́яли снега́, она́ ждала́, что кто́-то постро́ит ей ме́льницу.

Хотя́ бы да́же за поцелу́й.

— Сде́лай мне ме́льницу, — говори́т она́ му́жу.

— Каку́ю ме́льницу? — ворчи́т Март.

— Сде́лай, пожа́луйста. Ты́ же инжене́р!

— Заче́м тебе́ ме́льница?

Сказа́ть Ле́а не мо́жет.

Март до́лжен сам понима́ть. Это на́до чу́вствовать.

Же́нщина отпуска́ет ру́ку му́жа и отхо́дит в сто́рону.

— Ла́дно, я сде́лаю тебе́ ме́льницу.

Ле́а ускоря́ет шаг.

— Гляди́, мо́стик оста́лся!

Они́ дохо́дят до мо́стика и огля́дываются. Им непоня́тно, чего́ же здесь не хвата́ет. Но что́-то не та́к, э́то они́ чу́вствуют.

Ле́а спуска́ется под мо́стик — посмотре́ть — и ви́дит, что ло́же ручья́ поросло́ траво́й. Вода́ не́ течёт здесь уже́ давно́.

И тут она́ понима́ет, что её трево́жило, — не слы́шно журча́нья воды́.

Ручеёк пересо́х.

И в стране́ её де́тства, воспомина́нья о кото́ром она́ хоте́ла раздели́ть с му́жем, что́-то исче́зло.

Же́нщина беспо́мощно смо́трит на му́жа.

ме́льница, mill
журча́ла вода́, the water babbled
отозва́л соба́ку, called the dog back
поворча́л, grumbled
завлеку́ тебя́ в лес, I'll lure you into the forest
обо́чина шоссе́, side of the road
вскара́бкался, clambered up
ветла́, white willow
страши́лище, monster

В. Шукши́н

ДУ́МЫ

И вот так ка́ждую ночь!

Как то́лько угомони́тся * село́, усну́т лю́ди — он начина́ет... С конца́ села́ идёт. Идёт и игра́ет. А гармо́нь * у него́ кака́я-то осо́бенная — орёт.

Ни́нке Кре́четовой сове́товали:

— Да выходи́ ты скоре́й за него́! Он же житья́ нам не даёт.

Ни́нка усмехну́лась:

— А вы не слу́хайте.* Вы спи́те.

Сам Ко́лька Мала́шкин наха́льно смотре́л ма́ленькими глаза́ми и заявля́л:

— Име́ю пра́во.

Дом Матве́я Ряза́нцева, зде́шнего председа́теля колхо́за, стоя́л как ра́з на то́м ме́сте, где Ко́лька выходи́л из переу́лка и завора́чивал в у́лицу. Получа́лось, что гармо́нь ещё в переу́лке начина́ла ора́ть, пото́м огиба́ла дом, и ещё до́лго её бы́ло слы́шно.

Как то́лько она́ начина́ла звене́ть в переу́лке, Матве́й сади́лся в крова́ти, опуска́л но́ги на́ пол и говори́л:

— Всё: за́втра исключу́ из колхо́за. Придеру́сь к чему́-нибудь * и исключу́.

Он ка́ждую ночь так говори́л. И не исключа́л. То́лько, когда́ встреча́л днём Ко́льку, спра́шивал:

— Ты до́лго бу́дешь по ноча́м шля́ться? * Лю́ди по́сле трудово́го дня отдыха́ют, а ты бу́дишь, звона́рь! *

— Име́ю пра́во, — опя́ть говори́л Ко́лька.

И всё. И на э́том разгово́р зака́нчивался.

Но ка́ждую ночь Матве́й, си́дя на крова́ти, обеща́л:

— За́втра исключу́.

И потóм дóлго сидéл пóсле э́того, дýмал... Гармóнь ужé не слы́шно бы́ло, а он всё сидéл. Доставáл папирóсы, закýривал.

Ворчáла Алёна, хозя́йка.

— Спи,— крáтко говори́л Матвéй.

О чём дýмалось? Вспоминáлась жизнь. Всю жизнь Матвéй дéлал то, что нáдо бы́ло дéлать: нáдо идти́ в колхóз — пошёл, пришлá порá женúться — жени́лся, рожáли с Алёной детéй, они́ вырастáли... Пришлá войнá — пошёл воевáть. По ранéнию вернýлся домóй рáньше други́х мужикóв. Сказáли: «Станови́сь, Матвéй, председáтелем. Бóльше нéкому». Стал. Втянýлся в э́то дéло, и к немý тóже привы́кли. И всю жизнь тóлько рабóта, рабóта, рабóта. И на войнé тóже — рабóта. И все забóты, и рáдости, и гóрести свя́заны бы́ли с рабóтой. Когдá, наприме́р, слы́шал вокрýг себя́ — «любóвь», он немнóжко не понимáл э́того. Привы́чка, чтó ли, у людéй: нáдо говори́ть про любóвь — ну давáй про любóвь.

Оди́н раз Матвéй, когдá раздýмался так вот, си́дя на кровáти, не вы́терпел, толкнýл женý:

— Просни́сь, я у тебя́ спроси́ть хочý...

— Чегó ты? — удиви́лась Алёна.

— У тебя́ когдá-нибудь любóвь былá?

Алёна дóлго лежáла, изумлённая.*

— Чегó э́то тебé таки́е мы́сли в гóлову полéзли? Люби́ла, конéчно! — убеждённо сказáла Алёна. — А чегó ты про любóвь серéдь нóчи? * Заговáриваться,* чтó ли, нáчал?

— Спи.

«Дурéю, навéрное, — грýстно дýмал Матвéй. — К стáрости все дурéют».

А хворь * в душé не унимáлась.* Он замéтил, что стал дáже поджидáть Кóльку с егó певýчей «гармо́зой» * Как его́ до́лго нет, он начина́л беспоко́иться.

И сиде́л и поджида́л. Кури́л.

И вот далеко́ в переу́лке начина́ла звене́ть гармо́нь. И поднима́лась в душе́ хворь. Но стра́нная кака́я-то хворь — жела́нная. Без неё чего́-то не хвата́ет.

Ещё вспомина́лось ... Идёшь по траве́ босико́м. Роса́ обжига́ет но́ги.

А то вдруг про сме́рть поду́мается: что ско́ро — всё. Вот тру́дно-то что поня́ть: ка́к же тут бу́дет всё та́кже? Со́лнышко бу́дет встава́ть и заходи́ть — оно́ всегда́ встаёт и захо́дит. Но лю́ди каки́е-то други́е в дере́вне бу́дут, кото́рых никогда́ не узна́ешь ... Этого ника́к не поня́ть. Лет де́сять-пятна́дцать бу́дут ещё по́мнить, что был тако́й Матве́й Ряза́нцев, а пото́м — всё. А охо́та * же узна́ть, как они́ тут бу́дут. Ведь и не жа́лко ничего́ вро́де: и на со́лнышко насмотре́лся вдо́воль, * погуля́л в пра́здничкик, и ... Нет, не жа́лко. Повида́л мно́го. Но как поду́маешь: не́ту тебя́...

Да́же уста́л от таки́х дум.

— Просни́сь, — буди́л Матве́й жену́. — Ты сме́рти страши́шься? *

— Рехну́лся мужи́к! — ворча́ла Алёна. — Кто её не страши́тся?

— А я не страшу́сь.

— Спи. Чего́ ду́мать-то про э́то?

— Спи.

Нет, что́-то есть в жи́зни, чего́-то ужа́сно жа́лко. До слёз жа́лко.

А в одну́ ночь он не дожда́лся Ко́лькиной гармо́шки. Сиде́л, кури́л ... А её всё нет и нет. Так и не дожда́лся.

К све́ту Матве́й разбуди́л жену́.

— Чего́ не слы́шно?

— Да жени́лся уж! В воскресе́нье сва́дьбу намеча́ют.

Тоскли́во сде́лалось Матве́ю. Он лёг, хоте́л засну́ть и не мо́г. Так до са́мого рассве́та лежа́л. Хоте́л ещё чего́-нибудь вспо́мнить из свое́й жи́зни, но ничего́ не приходи́ло в го́лову. Навали́лись колхо́зные забо́ты...

...Встре́тив на друго́й день Ко́льку, Матве́й усмехну́лся:

— Что, доигра́лся? *

Ко́лька заулыба́лся... А улы́бка у него́ — от у́ха до у́ха.

— Всё, Матве́й Ива́нович, бо́льше не бу́ду буди́ть вас по ноча́м. Коне́ц.

Прошла́ неде́ля.

Всё та́к же ли́лся ноча́ми лу́нный свет в о́кна, ре́зко па́хло из огоро́да полы́нью *... И бы́ло ти́хо.

Матве́й пло́хо спал. Просыпа́лся, кури́л... Выходи́л на крыльцо́, сади́лся и кури́л. Светло́ бы́ло в дере́вне. И ужаса́юще ти́хо.

угомони́тся село́, the village calms down
гармо́нь орёт, (his) accordion wails
не слу́хай (*dial.*) = не слу́шай, don't listen
придеру́сь к чему́-нибудь, I'll find some pretext
шля́ться (*pop.*), to roam
звона́рь, *here fig.*: rowdy, din-maker
изумлённая, dumbfounded
середь но́чи, in the middle of the night
загова́риваться, to rave
хворь, *here fig.*: anxiety
не унима́лась, did not die down, diminish
«гармо́за» (*pop.*), *distorted form of* гармо́нь, accordion
охо́та (*pop.*), I'd very much wish
вдо́воль, enough, one's fill

страши́сься (*pop.*), fear
доигра́лся, *here fig.*: are you quite finished now?
полы́нь, wormwood

ЗЕРНО́ УПА́ЛО В ЗЕ́МЛЮ

— Встава́й, сыно́к. Пора́!

Ма́льчик пробуди́лся, потёр кулачка́ми глаза́, спры́гнул на́ пол и побежа́л к умыва́льнику. Вода́ была́ холо́дной. От ка́ждой приго́ршни * де́лалось бо́дро и ве́село, от сна́ не оста́лось и следа́.

Ма́льчик вы́бежал на подво́рье *. Там стоя́л запряжённый ста́ршим бра́том конь Рыжко́. На теле́ге лежа́л мешо́к с зерно́м, луко́шко *, борона́.*

Ещё о́чень ра́но: когда́ они́ выезжа́ют в по́ле — ещё то́лько пока́зывается со́лнце.

Разме́ренно выша́гивает Рыжко́. Ре́чка блести́т в отдале́нии. Сверка́ет роса́ на тра́вах. А в голубо́м не́бе звеня́т весёлые жа́воронки. Жа́воронки ра́дуются со́лнцу.

К пе́нию жа́воронков прибавля́ется хор лесны́х птах, их пе́ние, щёбет.

Вот уже́ пролегла́ по́ полю пе́рвая борозда́. Ра́достно ступа́ть босы́ми пя́тками по э́той борозде́ и вдыха́ть за́пах земли́.

Всё бы́ло о́чень обыкнове́нно.

Пото́м брат отсы́пал семя́н в луко́шко, пове́сил луко́шко на гру́дь, взял горсть зёрен и бро́сил зёрна в зе́млю.

Так ма́льчик впервы́е уви́дел, как упа́ло зерно́ в зе́млю. Уви́дел и запо́мнил на всю́ жизнь.

Ма́льчику всего́ семь лет, он о́сенью пойдёт в пе́рвый класс.

Посе́янные зёрна борона́ скры́ла в земле́.

Прошло́ вре́мя.

Ию́льским у́тром мать опя́ть разбуди́ла ма́льчика ра́но, до со́лнца.

— Встава́й, сыно́к. Пое́дем хлеб жать.

Высо́кую густу́ю рожь на́чали жать серпа́ми * мать со ста́ршей сестро́й ма́льчика.

Ма́льчику да́ли са́мый лёгкий серп, и всё равно́ он был тяжёл, и управля́ться * с ним бы́ло тру́дно.

Одна́ горсть сжа́та, друга́я.

— Сыно́к, како́й ты у на́с молоде́ц — це́лый сноп нажа́л!

Сестра́ то́же хва́лит ма́льчика.

— Иди́, вон под ку́стик, отдохни́, — говори́т мать. — Хва́тит.

Ма́льчик ухо́дит с полосы́. Его́ де́тское се́рдце опя́ть наполня́ется ра́достью и го́рдостью. Он ви́дел, как упа́ло в зе́млю зерно́, как зерно́ ста́ло ко́лосом. А тепе́рь вот он сам из э́тих коло́сьев нажа́л большо́й сноп. Пото́м сноп бу́дет обмоло́чен и ля́жет на сто́л горя́чим карава́ем.*

Я хорошо́ ви́жу того́ семиле́тнего мальчи́шку, потому́ что э́тим мальчи́шкой был я сам.

Неда́вно мне довело́сь сло́вно опя́ть верну́ться в те далёкие го́ды.

Послы́шался гул тра́ктора. Вско́ре показа́лся из-за приго́рка и он сам с се́ялками на прице́пе.*

Никако́й на́шей полосы́ я не уви́дел. Передо мно́й лежа́ло сплошно́е по́ле — огро́мное, бескра́йнее: оно́ начина́лось у ле́са и уходи́ло далеко́, за горизо́нт.

Мно́гое измени́лось с тех времён, кото́рыми начался́ наш расска́з. На колхо́зных поля́х ны́нче и лошаде́й уви́деть — ре́дкость. Всё маши́ны.

Но, ви́дно, уж так устро́ен челове́к, рабо́тающий на земле́ и лю́бящий зе́млю, что его́ всегда́ бу́дет волнова́ть и ра́довать, когда́ он ви́дит и как зерно́ па́дает в зе́млю, и как оно́ стано́вится наливны́м ко́лосом.

Тра́ктор уходи́л весе́нним по́лем всё да́льше и да́льше. Золоты́е зёрна па́дали и па́дали в чёрную вла́жную зе́млю.

По С. Шуртако́ву

приго́ршня, handful
подво́рье, yard
луко́шко, punnet
борона́, harrow
серп, sickle
управля́ть, to cope
карава́й, cottage loaf
се́ялка на прице́пе, sowing-machine on tow

ПО РОДНО́Й ЗЕМЛЕ́

С чего́ начина́ется Ро́дина? Не сра́зу отве́тит на э́то челове́к. Для ка́ждого из на́с — с чего́-то своего́, ли́чного, оди́н предста́вит себе́ не́бо ю́га, кипари́сы, па́льмы. Друго́й вспо́мнит бескра́йнюю степь. Тре́тий назовёт Арха́нгельский край *, отку́да пешко́м в столи́цу ушёл Миха́йло Ломоно́сов *, что́бы просла́вить пото́м Росси́ю. Четвёртый — таёжный лес Сиби́ри... Для Турге́нева * Ро́дина начина́лась с па́рка в Спа́сском-Лутови́нове *, с широ́ких орло́вских поле́й *, с просто́го, у́много ру́сского крестья́нина. Для Льва́ Толсто́го * — с Ясной Поля́ны *, без кото́рой он не мо́г предста́вить себе́ Росси́ю и своё отноше́ние к ней.

У ка́ждой были́нки на земле́ есть своё ме́сто. Так и челове́к: у него́ есть свои́ ко́рни, что даю́т ему́ жизнь. Они́ ухо́дят глубоко́ в родну́ю зе́млю. Поэ́тому при сло́ве «ро́дина» перед на́шим мы́сленным взо́ром обы́чно возника́ет пре́жде всего́ са́мое дорого́е, заве́тное и родно́е.

У исто́ка де́тства рожда́ется чу́вство Ро́дины. Любо́вь к Ро́дине мо́жно приви́ть, воспита́ть, а чу́вство Ро́дины передаётся с молоко́м ма́тери.

Я люблю́ зе́млю свои́х пре́дков.

Я люблю́ её раздо́льные поля́ *, её луга́, её леса́ с могу́чими вековы́ми дуба́ми *, с за́пахом земляни́ки и грибо́в, её ре́ки, нетороплі́вые, с берёзками, за́рослями ивняка́, черёмухи и ольхи́ на берега́х, с ти́хими у́тренними зо́рями в за́водях. До́рог мне родно́й край весно́й, когда́ распуска́ются цветы́, всё зе́лено, над по́лем звучи́т трель жа́воронка.

Бли́зок он мне ле́том, когда́ со́лнце пока́зывает всю свою́ си́лу *, пти́цы выво́дят птенцо́в, цветёт ли́па, в поля́х налива́ются хлеба́ *. Прия́тен родно́й край мне о́сенью, когда́ сине́ют ре́ки, то́чно глаза́ де́вушек, и взо́ру открыва́ются бескра́йние да́ли — све́тлые и споко́йные. И мил он мне зимо́й, когда́ ве́тви дере́вьев гну́тся под и́скристой но́шей бе́лого сне́га, моро́з наво́дит ледяны́е мосты́ через ре́ки и озёра.

Два челове́ка, иду́щие по одно́й доро́ге, ча́сто ви́дят неодина́ковое. И два челове́ка, чита́ющие одну́ кни́гу, мо́гут проче́сть в ней ра́зное. А что каса́ется упу́щенного, об э́том хо́чется сказа́ть слова́ми дре́внего мудреца́: «Не о несбы́вшемся * сокруша́йся, ра́дуйся обретённому».* Испы́тывай ра́дость в на́йденном, будь благода́рен всем тем, кто помо́г тебе́ что́-то уви́деть и поня́ть...

По М. Росто́вцеву

Арха́нгельский край, Archangel Region, in the

North of the European part of the USSR
Миха́йло Ломоно́сов, Mikhail Lomonosov (1711-1765), the first Russian scientist
Турге́нев, Ivan Turgenev (1818-1883), a Russian writer
Спа́сское-Лутови́ново, Spasskoye-Lutovinovo, (Oryol Region), Turgenev's birth place, now a museum
орло́вские поля́, the reference is to Oryol Region, Turgenev's birth place
Лев Толсто́й, Lev Tolstoy (1828-1910), a great Russian writer
Ясная Поля́на, Yasnaya Poliana, Tolstoy's birth place in Tula Region, now a museum
раздо́льные поля́, wide open fields
вековы́е дубы́, age-old oaks
со́лнце пока́зывает свою́ си́лу, the sun shows its power
в поля́х налива́ются хлеба́, in the fields the wheat ripens
несбы́вшееся, what did not come true, unfulfilled
обретённый, what has been found; what has materialised

А. Ахма́това

РОДНА́Я ЗЕМЛЯ́

В заве́тных ла́данках не но́сим на груди́,
О не́й стихи́ навзры́д не сочиня́ем,
Наш го́рький сон она́ не береди́т,
Не ка́жется обетова́нным ра́ем.
Не де́лаем её в душе́ свое́й
Предме́том ку́пли и прода́жи,
Хвора́я, бе́дствуя, немо́тствуя на не́й,
О не́й не вспомина́ем да́же.

Да, для на́с э́то грязь на кало́шах,
Да, для на́с э́то хруст на зуба́х.
И мы ме́лем, и ме́сим, и кро́шим
Тот ни в чём не заме́шанный прах.
Но ложи́мся в неё и стано́вимся е́ю,
От того́ и зовём так свобо́дно — свое́ю.

ла́данка, amulet
навзры́д, *here*: with tears in one's eyes
береди́ть, to irritate
обетова́нный рай, the Promised Land
немо́тствуя, keeping silent
мы ме́лем, и ме́сим, и кро́шим we grind, and knead, and crumble

Евг. Евтуше́нко

М. Берне́су

Хотя́т ли ру́сские войны́?
Спроси́те вы у тишины́
над ши́рью па́шен и поле́й
и у берёз и тополе́й.
Спроси́те вы у тех солда́т,
что под берёзами лежа́т,
и вам отве́тят их сыны́,
хотя́т ли ру́сские войны́.
Не то́лько за свою́ страну́
солда́ты ги́бли в ту́ войну́,
а что́бы лю́ди все́й земли́
споко́йно ви́деть сны могли́.
Под ше́лест ли́стьев и афи́ш
ты спи́шь, Нью-Йо́рк, ты спи́шь, Пари́ж.
Пусть ва́м отве́тят ва́ши сны́,
хотя́т ли ру́сские войны́.
Да́, мы уме́ем воева́ть,

но не хоти́м, чтобы опя́ть
солда́ты па́дали в бою́
на зе́млю гру́стную свою́.
Спроси́те вы у матере́й.
Спроси́те у жены́ мое́й.
И вы тогда́ поня́ть должны́,
хотя́т ли ру́сские во́йны́.

К. Ванше́нкин

Я ЛЮБЛЮ́ ТЕБЯ́, ЖИЗНЬ

Я люблю́ тебя́, жизнь,
Что само́ по себе́ и не но́во.
Я люблю́ тебя́, жизнь,
Я люблю́ тебя́ сно́ва и сно́ва.

Вот уж о́кна зажгли́сь,
Я шага́ю с рабо́ты уста́ло.
Я люблю́ тебя́, жизнь,
И хочу́, что́бы лу́чше ты ста́ла.

Мне не ма́ло дано́:
Ширь земли́ и равни́на морска́я,
Мне изве́стна давно́
Бескоры́стная дру́жба мужска́я.

В зво́не ка́ждого дня
Как я сча́стлив, что нет мне поко́я, —
Есть любо́вь у меня́.
Жизнь, ты зна́ешь, что э́то тако́е...

Как пою́т соловьи́,
Полумра́к, поцелу́й на рассве́те,
И верши́на любви́ —
Это чу́до вели́кое, де́ти!

Вновь мы с ни́ми пройдём
Де́тство, ю́ность, вокза́лы, прича́лы,
Бу́дут вну́ки пото́м,
Всё опя́ть повтори́тся снача́ла.

Ах, как го́ды летя́т,
Мы грусти́м, седину́ замеча́я.
Жизнь, ты по́мнишь солда́т,
Что поги́бли, тебя́ защища́я?

Так лику́й и верши́сь
В тру́бных зву́ках весе́ннего ги́мна.
Я люблю́ тебя́, жизнь,
И наде́юсь, что э́то взаи́мно!

Дорого́й чита́тель!

Ста́ли ли для Ва́с ясне́е слова́ сове́тского писа́теля При́швина о то́м, что любо́вь к ро́дине начина́ется с любви́ к родно́й приро́де?

Вы́звали ли у Ва́с о́тклик те расска́зы, в кото́рых говори́тся о любви́ к живо́тным и о дру́жбе с ни́ми?

ТЕПЕ́РЬ ПРИСТУПИ́ТЕ К ЧТЕ́НИЮ БО́ЛЕЕ СЛО́ЖНЫХ ТЕ́КСТОВ.
ОНИ́ ТО́ЖЕ АДАПТИ́РОВАНЫ, НО В МЕ́НЬШЕЙ СТЕ́ПЕНИ.
К НИМ НЕТ СЛОВАРЯ́, ВЫ СМО́ЖЕТЕ ПРОЧЕ́СТЬ ПО́ВЕСТИ И БЕЗ НЕГО́.
СМЕЛЕ́Е!
ВАС ЖДУТ ИНТЕРЕ́СНЫЕ СЮЖЕ́ТЫ.

11-01327

В. Потие́вский

ЗВЕРИ́НАЯ ТРОПА́

По́весть о ры́си

(в сокраще́нии)

Втору́ю ночь ей не везло́. Она́ лежа́ла на то́лстом суку́ оси́ны. Её пуши́стый подборо́док сло́вно прирос к жёсткому де́реву. Втору́ю ночь она́ терпели́во ждала́ добы́чи. Напра́сно.

Большо́й пуши́стый барсу́к вы́сунул нос из норы́. На заро́сшем куста́рником скло́не незаме́тен вы́ход из норы́. Но барсу́к вы́сунул то́лько нос. Яркая луна́ вы́шла из-за ту́чи. Дли́нные те́ни дере́вьев поползли́ по опу́шкам. И снег засвети́лся изнутри́. Рысь хорошо́ ви́дела но́чью. А лу́нные но́чи бы́ли для неё сло́вно я́ркий со́лнечный день. Сейча́с она́ ви́дела барсука́, ви́дела да́же ма́ленькую обло́манную ве́тку на то́й стороне́ поля́ны — на расстоя́нии деся́тка хоро́ших прыжко́в. А за́йцев она́ заме́тила бы и на краю́ опу́шки.

Луна́ оголи́ла лес, сде́лала прозра́чным. В лу́нные но́чи Ри́са — так её зва́ли — всегда́ чу́вствовала себя́ напряжённей, чем обы́чно. Кака́я-то трево́га заполза́ла в её си́льное се́рдце. Каза́лось, весь лес очути́лся во вла́сти э́той таи́нственной луны́.

Завы́л волк. Он выл, жа́луясь на судьбу́, на го́лод и хо́лод. Но была́ в э́том го́лосе и жёсткая угро́за, вы́зов, гото́вность схвати́ться с сопе́рником в борьбе́ за добы́чу. Ещё два соро́дича подтяну́ли печа́льную во́лчью пе́сню.

Ри́са хорошо́ зна́ла волко́в. Зна́ла их си́лу и беспоща́дность. Зна́ла их ум, упо́рство и бесстра́шие. Но они́ не уме́ли ла́зать по дере́вьям.

Зна́ла она́ э́ту во́лчью семью́. Про́шлой зимо́й,

когда́ они́ приходи́ли сюда́, их бы́ло ше́стеро. Вожака́ зва́ли Вой. За си́льный, пронзи́тельный го́лос. Когда́ он затя́гивал свою́ голо́дную пе́сню, соро́дичи его́ неме́дленно отклика́лись, а у тех, кто был слабе́е волко́в, леденéли сердца́.

Ри́са совсе́м потеря́ла наде́жду на охо́тничью уда́чу. И вдруг на друго́м конце́ поля́ны показа́лся за́яц. Вы́гнанный приближе́нием волко́в из своего́ убе́жища, он стреми́тельно нёсся по светя́щейся лу́нной тропе́. Ри́са сжа́лась в жёсткую пружи́ну. Ко́нчик её коро́ткого и ги́бкого хвоста́ трепета́л. Она́ вдруг уви́дела их. Во́лки бежа́ли оди́н за други́м, бежа́ли бы́стро. Коне́чно, за́яц не добы́ча для голо́дной ста́и. Но волк есть волк. И он бу́дет охо́титься на любо́го зверька́. Пока́ го́лоден.

Осторо́жная Ри́са заколеба́лась, но го́лод, до́лгое ожида́ние и, наконе́ц, раздраже́ние, что у неё хотя́т отобра́ть её добы́чу, победи́ли. И она́ пры́гнула. И го́лод, и зло́бу на волко́в, и обострённое чу́вство опа́сности — всё вложи́ла она́ в э́тот прыжо́к. Через мгнове́ние с добы́чей в зуба́х в два прыжка́ взлете́ла она́ на сосе́днее де́рево под но́сом у волко́в.

Се́рые бы́ли так обозлены́, сло́вно рысь перехвати́ла у ни́х не за́йца, а ло́ся. Они́ кружи́ли под де́ревом. Мо́лча наблюда́ла она́ за волка́ми. Немно́го вы́ждав, начала́ есть. Обли́зываясь и погля́дывая вниз, она́ ви́дела, каки́м жа́дным огнём горе́ли э́ти шесть пар глаз. Не́навистью свети́лись э́ти глаза́. И за́вистью. Хотя́ э́то была́ во́все не и́х добы́ча — рысь ведь не укра́ла уби́того и́ми зве́ря, да и наде́жды отобра́ть у неё у́жин не́ было никако́й. Всё равно́ они́ зави́довали. Ведь за́висть и справедли́вость несовмести́мы.

Со́лнечный день стоя́л над ле́сом. Перелива́лись голоса́ снегире́й и сини́ц. Но Ри́са не видела пре́лестей дня. Днём она́ привы́кла спать. В свое́й ую́тной пеще́ре с у́зким вхо́дом она́ чу́вствовала себя́ споко́йно.

Она́ дре́мала на сухо́й траве́ и на мя́гких оста́тках шкур по́йманных е́ю звере́й. Она люби́ла подгреба́ть под себя́ ла́пой э́ти шку́ры. Они́ напоми́на́ли ей но́чи уда́чной охо́ты, вку́сно па́хли, прия́тно щекоча́ но́здри уже́ сла́бым за́пахом добы́чи. Но и арома́тная трава́ нужна́ была́ Ри́се. Она́ пучка́ми срыва́ла её неподалёку от пеще́ры в э́ти после́дние дни ле́та. Приноси́ла в ло́гово и не спеша́ жева́ла понемно́гу. Да́же в са́мую ледяну́ю и мете́льную по́ру дурма́нили они́ горькова́тым ду́хом ию́ля.

За поро́гом ло́гова сверка́л день, а здесь, в пеще́ре, бы́ло почти́ темно́. Да́же пронзи́тельные зву́ки дня долета́ли сюда́ приглушёнными и, натыка́ясь на чёрные сво́ды пеще́ры, гло́хли.

Су́мерки заста́ли Ри́су уже́ на нога́х. Она́ мя́гко шла по ка́менному карни́зу скалы́. Прошла́ по ка́менной тропе́ до за́рослей, спусти́лась в ча́щу, осторо́жно дви́гаясь ме́жду дере́вьями. И вдруг Ри́са почу́вствовала чьё-то бы́строе приближе́ние. И поняла́, что э́то где́-то наверху́, на дере́вьях. В одно́ мгнове́ние она́ взбежа́ла на то́лстую накло́нную сосну́, отку́да мо́жно бы́ло перехвати́ть добы́чу.

Они́ появи́лись неожи́данно. Впереди́, в у́жасе перед немину́емой ги́белью, почти́ лете́ла бе́лка. Сле́дом легко́ мча́лась куни́ца.

Ри́са вы́брала добы́чу покрупне́е. Рысь рассчи́тывала схвати́ть куни́цу на лету́ и́ли хотя́ бы сбить её ла́пой. Но бы́страя куни́ца заме́тила опа́сность. Уже́ в полёте ре́зко вильну́ла хвосто́м и перелете́ла немно́го праве́е. Этого оказа́лось доста́точно, что́бы рысь промахну́лась.

Смущённо смотре́ла Ри́са вслед уше́дшей добыче. Она́ слы́шала и бе́лку, кото́рая убега́ла в противополо́жную сто́рону.

Рысь пошла́ да́льше.

Ри́са охо́тилась в одно́й ме́стности, на одно́м уча́стке большо́го се́верного ле́са. Э́то была́ нема́лая террито́рия. Просыпа́ясь, она́ ра́довалась ле́су, шу́му дере́вьев, пле́ску озёр, журча́нию ручья́. Иногда́ ле́том, на восхо́де со́лнца, она́ лови́ла ры́бу в ручье́. Но э́то быва́ло ле́том. Тепе́рь руче́й журча́л подо льдо́м и сне́гом. Через ка́ждые де́сять — двена́дцать шаго́в рысь остана́вливалась, прислу́шивалась, сло́вно её бесшу́мные шаги́ могли́ помеша́ть ей улови́ть са́мый далёкий и са́мый жела́нный звук.

Рысь вздро́гнула, заволнова́лась и замерла́. Они́ здесь, ря́дом. Она́ не реша́лась шевельну́ться. Долгожда́нная и така́я жела́нная добы́ча была́ почти́ в зуба́х. Сто́ило то́лько бро́ситься и схвати́ть... Ри́са была́ уве́рена, что они́ ря́дом, на расстоя́нии одного́-двух броско́в. Но неуда́ча сего́дняшней но́чи сно́ва напо́мнила ей об осторо́жности и вы́держке. Не шелохну́в ни ла́пами, ни хвосто́м, ме́дленно поверну́ла она́ го́лову и огляде́лась. Знако́мые лу́нки в снегу́ бы́ли совсе́м бли́зко, но до них всё же бы́ло бо́льше одного́ прыжка́. А прыжо́к до́лжен был быть оди́н. Очень ме́дленно подняла́ она́ ла́пу и замерла́. Беззву́чно опусти́ла её, ме́дленно перенесла́ вес те́ла вперёд. Осторо́жно, что́бы не хру́стнул снег, переступи́ла за́дними ла́пами и подобрала́сь. Две-три секу́нды она́ ждала́, гото́вилась. Зате́м мо́лнией взлете́ла над сугро́бом и пере́дними ла́пами закры́ла ближа́йшую сне́жную лу́нку. Тишина́ лесно́го рассве́та расколо́лась ре́зким хло́паньем кры́льев. Бе́лая сне́жная пелена́ оку́тала Ри́су, сло́вно больша́я ель над не́й отряхну́лась по-соба́чьи.

Держа́ в зуба́х кру́пного те́терева, рысь вы́шла на звери́ную тропу́, по кото́рой пришла́ сюда́. Огляде́лась, прошла́ не́сколько шаго́в. Сно́ва огляде́лась. Прислу́шалась.

Сошла́ с тропы́ в сто́рону и удо́бно устро́илась в снегу́, лёжа на животе́, зажа́в в пере́дних ла́пах уби́того косача́...

Они́ прие́хали в э́тот лесно́й пусту́ющий до́мик, как то́лько по́лностью ста́ял снег. Озеро о́коло до́ма очи́стилось ото льда́, ста́ло прозра́чным и со́лнечным, сло́вно гото́вилось к приёму у́ток. Но пока́ птиц не́ было, и оно́ каза́лось поки́нутым.

Проклю́нулась молода́я трава́. На го́лых ве́тках берёз набу́хли по́чки. И не смолка́л пти́чий го́мон. А лю́ди осма́тривали ближа́йшие озёра и лесны́е уча́стки, проверя́ли, на ме́сте ли барсуки́. Люде́й бы́ло дво́е.

Ри́са сра́зу заме́тила их появле́ние. Ка́к-то на рассве́те, подходя́ к ло́гову, она́ услы́шала в лесу́ стук. Гро́мкий, отчётливый стук по де́реву. Никто́, кро́ме челове́ка, не мо́г издава́ть тако́й звук. Она́ э́то зна́ла. Она́ насторожи́лась, почу́вствовала опа́сность. В тот день ей пло́хо спало́сь.

Трево́га родила́сь в её душе́.

Она́ подходи́ла к лю́дям с подве́тренной стороны́. Издали Ри́са ви́дела свои́ми о́стрыми глаза́ми, как лю́ди подо́лгу что́-то де́лали с де́ревом. Лю́ди мастери́ли каки́е-то дли́нные коро́бки. Пото́м она́ уви́дела, что в тако́й коро́бке сиди́т но́рка. Глу́пый зверёк, заме́тив рысь, замета́лся. Но Ри́са понима́ла, что но́рка уже́ попа́лась лю́дям. И бы́стро ушла́ в чащо́бу, испу́ганная зре́лищем по́йманного звер́я.

Ноча́ми, когда́ Ри́са охо́тилась, она́ приходи́ла к до́му, где посели́лись лю́ди.

Эти дво́е люде́й отлича́лись друг от дру́га.

Оди́н был поме́ньше, друго́й высо́кий, с большо́й чёрной бородо́й. Ри́са различа́ла их издалека́. Она́ со споко́йным любопы́тством наблюда́ла за людьми́. Они́ всё вре́мя ходи́ли от до́ма к о́зеру, что́-то переноси́ли.

Вдруг она́ насторожи́лась. Тот, кто был поме́ньше, что́-то гро́мко и встрево́женно крича́л. Высо́кий бы́стро подошёл, присе́л на ко́рточки ря́дом с това́рищем. Подбежа́ли соба́ки, зло́бно и гро́мко зарыча́ли. И Ри́са вдруг поняла́, что они́ рассма́тривают её след. Она́ вся подобрала́сь, напру жи́нилась, как в моме́нт опа́сности. Опа́сности в о́бщем-то не́ было, след уводи́л в другу́ю сто́рону. Ведь пре́жде чем зале́чь здесь, рысь до́лго петля́ла по лесно́й ча́ще.

Соба́ки рвану́лись к ле́су, но высо́кий гро́мко и ре́зко кри́кнул, и ла́йки не́хотя возврати́лись.

Ста́рый Вой подстерёг её неожи́данно. Она́ вы́следила за́йца на опу́шке ле́са. Ри́са бы́стро его́ насти́гла и, держа́ в зуба́х, пошла́ обра́тно к ле́су. И вдруг она́ буква́льно оцепене́ла. Отре́зав от неё родны́е и спаси́тельные со́сны и берёзы, на опу́шке стоя́ла вся сво́ра се́рых.

Ше́стеро во главе́ со ста́рым Во́ем. Они́ вы́строились у кро́мки, где ей бы́ло не уйти́... На коро́тком уча́стке рысь могла́ бы легко́ скры́ться от волко́в, но э́то бы́ло и́менно по́ле, а не поля́на, и лес за ни́м был так далеко́, что его́ и ви́дно-то бы́ло то́лько в я́сные дни, как ма́ленькую си́нюю поло́ску на горизо́нте. А сейча́с, когда́ едва́ рассе́ивались предрассве́тные су́мерки, ле́са на то́й стороне́ по́ля во́все бу́дто и не́ было.

Во́лки стоя́ли далеко́. Ри́са хорошо́ ви́дела их больши́е, всегда́ голо́дные и жа́дные глаза́. Она́ чу́вствовала всё их ненасы́тное злора́дство, торжество́ в ожида́нии долгожда́нной распра́вы с да́вним враго́м и сла́дкой добы́чи. Вы́хода не́ было. И она́ дви́нулась навстре́чу ста́е. Она́ понима́ла, что де́ло её о́чень пло́хо. И всё-таки отча́янно гото́вилась к борьбе́, что́бы до́рого отда́ть жизнь. Бро́сив по́йманную добы́чу, споко́йным ша́гом, сберега́я си́лы, она́ подходи́ла к ста́е.

Во́лки реши́ли, что им пора́. Они́ дви́нулись навстре́чу ры́си, охва́тывая её полукольцо́м. Одна́ко вожа́к специа́льно поотста́л, не отходя́ далеко́ от опу́шки, что́бы в слу́чае е́сли вдруг рысь прорвётся, перекры́ть ей доро́гу к ле́су. С кра́ю заходи́ла волчи́ца, стара́ясь схвати́ть Ри́су сбо́ку и отре́зать ей обра́тный путь. А рысь шла вперёд, ничего́ не ви́дя, кро́ме э́тих пыла́ющих двена́дцати глаз. Са́мый горя́чий молодо́й волк из середи́ны полукольца́ рвану́лся гало́пом к остано́ви́вшейся и за́мершей, как сжа́тая пружи́на, Ри́се.

И вдруг, как гром среди́ я́сного не́ба, раска́тисто уда́рил вы́стрел, разрыва́я тишину́. И покати́лся по вла́жному весе́ннему по́лю тот са́мый молодо́й волк, кото́рый так и не добежа́л до Ри́сы...

Мно́гое случа́ется в тече́ние жи́зни. Быва́ет так, что, ка́жется, уже́ нет вы́хода. Никако́го. Коне́ц. То́лько наде́жда продлева́ет жизнь. Но быва́ет, что когда́ и наде́жды не остаётся, появля́ется он, Слу́чай, кото́рый мо́жет всё измени́ть.

Волк распласта́лся мёртвым на чёрной вла́жной земле́. А Ри́са сле́дом за ста́ей улепётывала к дорого́му, спаси́тельному ле́су — родно́му своему́ до́му. Она́ уже́ успе́ла разгляде́ть свои́х спаси́телей — э́то бы́ли они́, те са́мые дво́е...

* * *

...Ка́к-то бы́стро прошло́ э́то ле́то. Ри́са приходи́ла к своему́ ручью́, пила́, лежа́ла у воды́, вслу́шиваясь в журча́ние. Руче́й был по-пре́жнему бы́стрым и чи́стым, но по нему́ уже́ плы́ли опа́вшие ли́стья. Алые, жёлтые, ора́нжевые... Они́ проплыва́ли ми́мо ры́си, я́ркие, наря́дные, как ле́тние дни, кото́рые давно́ уж уплы́ли вниз по ручью́, унося́ с собо́й тепло́, со́лнце, бу́рную жизнь земли́.

Приро́да гото́вилась к зиме́. Оси́ны и берёзы сбра́сывали листву́, плотне́е сжима́ли свою́ кору́, укрепи́вшуюся за ле́то. Им предстоя́ло встреча́ть сто́я хлёсткую, жгу́чую вью́гу се́верной зимы́, треску́чие её моро́зы, мо́щные, прони́зывающие ве́тры февраля́ и ма́рта.

Снача́ла руче́й подёрнулся то́нким ледко́м у бе́рега, зате́м неожи́данно за одну́ ночь затяну́лся ро́вным прозра́чным сло́ем, через кото́рый у бе́рега пока́ ещё бы́ло ви́дно дно. Вмёрзли в лёд камыши́нки у берего́в. Ри́са люби́ла слу́шать ше́лест камыша́, осо́бенно у́тром, когда́ приро́да, хотя́ и осе́нняя, немно́го всё же ожива́ла. И камы́ш шелесте́л, напряга́л свои́ сухи́е и певу́чие сте́бли. Этот звон завора́живал Ри́су, возбужда́л и ра́довал её. У ка́ждого зве́ря есть влече́ние к му́зыке приро́ды. К э́той есте́ственной и разнообра́зной му́зыке, кото́рую мы, лю́ди, ча́сто совсе́м не замеча́ем. И е́сли бы случа́йный охо́тник обнару́жил на уже́ подмёрзшем берегу́ отта́явшую и вда́вленную по́чву, где, су́дя по глубине́ вмя́тин, до́лго лежа́ла рысь, он вря́д ли смо́г бы объясни́ть, что она́ де́лала здесь, у са́мой воды́, заче́м так до́лго пробыла́ вдали́ от звери́ных троп, в тако́й чу́ткой прислу́шивающейся по́зе, лёжа на животе́, положи́в большу́ю го́лову на пере́дние ла́пы.

Холода́ в э́том году́ пришли́ ра́но. Эта о́сень была́ необы́чно ве́треной и сты́лой. Сне́га намело́ не та́к уж мно́го, но он уже́ успе́л смёрзнуться и скрипе́л да́же под мя́гкими ла́пами Ри́сы. Руче́й давно́ замело́, и вся приро́да прити́хла, оцепене́ла, сло́вно в ожида́нии беды́. И лес, и опу́шки, и замёрзшие озёра побеле́ли, сло́вно от э́того томи́тельного до́лгого ожида́ния. По скло́нам лесны́х холмо́в посви́стывала позёмка. Но дере́вья стоя́ли прямы́е и высо́кие, сло́вно не замеча́ли ни позёмки, ни ра́нних холодо́в. Они́ давно́ пригото́вились к зиме́, вну́тренне укрепи́лись и заду́мчиво пока́чивались под ве́тром уже́ в ожида́нии бу́дущей весны́.

Вме́сте с холода́ми пришли́ во́лки. Вью́га подвыва́ла, осо́бенно в су́мерках. Ри́са вслу́шивалась в э́то подвыва́ние. Да́же она́, о́пытная рысь, трево́жно слу́шая вой ве́тра, ду́мала о волка́х. Ей иногда́ каза́лось, что ве́тер подража́ет волка́м. Каки́м-то шесты́м чу́вством опа́сности она́ буква́льно ощуща́ла, что они́ здесь, во главе́ со свои́м вожако́м ста́рым Во́ем.

В э́ту ночь Ри́са вы́шла на охо́ту, когда́ немно́го ослабе́л снегопа́д. Поры́вы ве́тра хвата́ли поре́де́вшие хло́пья сне́га и швыря́ли их о стволы́. Ри́са шла по скло́ну лесно́го холма́, пыта́ясь услы́шать сквозь гу́л ве́тра свою́ бу́дущую же́ртву.

Ри́са обогну́ла холм и вы́шла к о́зеру, тому́ са́мому, о́коло кото́рого жи́ли лю́ди. В предрассве́тной су́меречной мгле она́ хорошо́ ви́дела до́мик на друго́м берегу́ о́зера, за небольши́м зали́вом. На о́зере сне́га бы́ло ма́ло, то́лько позёмка свива́лась ко́льцами и обли́зывала лёд свои́ми дли́нными языка́ми.

И вдруг Ри́са о́стро почу́вствовала опа́сность. Ре́зко оберну́лась, пры́гнув в сто́рону. Во́лки стоя́ли в деся́тке прыжко́в от неё, полукольцо́м — все, во главе́ с Во́ем. Стоя́ли та́к же, как и в про́шлый раз, когда́ подкарау́лили Ри́су. Тепе́рь они́ её то́же выследили. Не случайно они оказались здесь, едва только рысь вышла к озеру, чуть отойдя от деревьев.

Риса стояла у самого льда на краю отлогого берега, среди мелкого кустарника. Лес был отрезан от неё стаей. Её не испугали жадные их глаза, но она знала, что сейчас решается её судьба. Волки остановились лишь на мгновение. Быстрым шагом, почти бегом спустилась волчья семья к озеру. Но Риса уже бежала.

Отставая от рыси на пять-шесть прыжков, неслась стая. Вой, высокий и широкогрудый, бежал впереди. То подкидывая задние ноги к самой груди, то разжимаясь, как пружина, и распластываясь в полёте над сугробом, он мчался, распустив свой крупный и длинный хвост по ветру. Серая со светло-рыжим отливом шкура его топорщилась на загривке, стремительно перекатывалась по его узловатым и мощным мускулам.

Длинными, частыми прыжками Риса пересекала залив. Хотя лёд, едва покрытый тонким слоем снега, скользил под ногами, Рисе было легче на льду, чем волкам. Её широкие лапы позволяли ей сильно отталкиваться и делать мощные прыжки.

Но преследователи не отставали. Злость и упорство заставляли их держаться вплотную к ней. Они были уверены, что к жилью человека она не подойдёт, повернёт к лесу и они её перехватят...

Риса чувствовала, что её настигают. Она слышала шумное дыхание волков. Слышала почти рядом удары их ног о берег, на который они уже выскочили следом за ней.

И в сумерках утра она хорошо видела дым, уходящий в небо из человеческого жилья. Только там, у человека, было её спасение. И она поняла это. Рысь бросилась напрямик к дому. Распахнув ла́пами приотворённую дверь в се́ни, она́ в два прыжка́ взбежа́ла по ле́стнице, веду́щей в жилы́е ко́мнаты. Бреве́нчатые дома́ на се́вере стро́ят так, что ни́жние пол-этажа́ занима́ет сара́й, а живу́т чуть повы́ше, туда́ и ведёт широ́кая ле́стница из сене́й.

Во́лки пресле́довали Ри́су до са́мого крыльца́, но в дом не вошли́. После́дние броски́ их бы́ли осо́бенно стреми́тельными, уж о́чень стара́лись они́ схвати́ть да́внего своего́ врага́. Но не успе́ли. Рысь пу́лей влете́ла в дом. И ста́рый Вой за́мер у са́мых двере́й, сло́вно наткну́лся на неви́димую прегра́ду. Никако́й аза́рт пого́ни не мо́г обману́ть его́. Сли́шком о́пытен, умён и осторо́жен был ста́рый вожа́к. Он знал, что лю́ди — э́то во́лчья смерть.

Когда́ Ри́са оказа́лась у вхо́да в са́мую глубь людско́го жилья́, в глаза́ ей уда́рила у́зкая полоса́ све́та, пробива́вшаяся через ще́ль из-за две́ри, за кото́рой бы́ли лю́ди. Возбуждённая и стреми́тельная, распахну́в э́ту дверь, рысь влете́ла в ко́мнату. Челове́ка она́ ожида́ла уви́деть, но всё-таки шара́хнулась от него́ в у́гол, да́льний от две́ри. Прижа́лась к стене́ и зата́илась, ска́лясь на вся́кий слу́чай.

На столе́ жёлтым гла́зом горе́ла кероси́новая ла́мпа. Топи́лась печь, и бли́ки от огня́ из раскры́той то́пки мета́лись по стена́м. Знако́мый Ри́се челове́к с бородо́й сиде́л у стола́. Он сра́зу по́нял, что произошло́. Он слу́шал, как вы́ли во́лки, днём ви́дел их следы́ и реши́л, что и́менно во́лки — еди́нственная причи́на, кото́рая могла́ вы́звать э́тот удиви́тельный визи́т.

Челове́к не ста́л выходи́ть из до́ма, что́бы разогна́ть ста́ю. Для э́того на́до бы́ло бы взять ружьё, а э́то могло́ испуга́ть его́ го́стью.

Он оста́лся сиде́ть у стола́, заду́мчиво гля́дя на кру́пного и краси́вого зве́ря.

Челове́к знал, что во́лки никогда́ не войду́т в его́ дом. Он разгля́дывал Ри́су и улыба́лся.

Рысь лежа́ла в углу́, чуть подобра́вшись. Ещё насторожённая, она́ уже́ успока́ивалась. Она́ слы́шала, как во́лки уходи́ли. Их вой раздава́лся в отдале́нии. Они́ вы́ли от оби́ды на свою́ во́лчью до́лю. И э́тот вой повтори́лся в печно́й трубе́, кото́рая то́же вы́ла, сло́вно соглаша́лась с волка́ми и сочу́вствовала им.

Ри́са вида́ла, что челове́к споко́ен, он сиде́л и улыба́лся. Зве́ри понима́ют улы́бку. Они́ ви́дят и чу́вствуют её. По те́лу Ри́сы разлива́лось прия́тное тепло́ поко́я. Не́рвная дрожь прошла́. Рысь жму́рилась, гля́дя то на ого́нь в печи́, то на челове́ка. Тёплое де́рево по́ла согрева́ло ей ла́пы, живо́т и грудь. Уда́ры се́рдца станови́лись всё ровне́е. Когда́ разда́лся го́лос э́того челове́ка, чёрные ки́сточки на уша́х Ри́сы трево́жно дро́гнули, но го́лос был споко́йным и до́брым, и ки́сточки на её уша́х за́мерли.

— Ну располага́йся, раз пришла́,— сказа́л челове́к.

Бу́дто поня́в его, рысь мя́гко положи́ла го́лову на пере́дние ла́пы. И вздохну́ла. Этот глубо́кий вздох показа́лся челове́ку печа́льным. Сло́вно зверь хоте́л сказа́ть ему́, челове́ку, что нелегка́ жизнь в лесу́, что хо́лод и го́лод постоя́нно ря́дом. Да ещё во́лки. И что бы́ло бы совсе́м пло́хо, е́сли бы одино́кие существа́ не могли́ хоть иногда́ прийти друг к дру́гу за по́мощью.

В. Пано́ва

СКАЗА́НИЕ ОБ ОЛЬГЕ

Истори́ческая по́весть

/в сокраще́нии/

Мо́лодость. Заму́жество.

Был перево́з на реке́ Вели́кой, близ го́рода Пско́ва.*

Мно́го ло́док, и при ло́дках гребцы́.

Над гребца́ми нача́льник.

У нача́льника до́чка была́, небольша́я де́вочка Ольга.

Ле́том и о́сенью она́ жила́ с роди́телями при перево́зе, на берегу́. Когда́ станови́лась Вели́кая, семья́ перебира́лась во Пско́в, в зи́мний дом.

Вот идёт Ольга по сне́жной у́лице, уку́танная в плато́к. На не́й тулу́пчик. Она́ идёт, и задки́ её ва́ленок вски́дывают подо́л. Задки́ э́ти похо́жи на пя́тки медвежо́нка.

* * *

Бы́ло ле́то.

К перево́зу подъе́хали вса́дники. На одно́м коне́ сбру́я с сере́бряными бля́хами. Други́е ко́ни везли́ за ни́ми кладь.

Нача́льник вы́шел. Гребцы́ побежа́ли к ло́дкам. Вса́дники ста́ли спуска́ться к Вели́кой. Ольга стоя́ла во́зле отца́, она́ перебро́сила ко́су на гру́дь и игра́ла ле́нтами.

Тот, чей конь ходи́л в серебре́, останови́лся и спроси́л у отца́:

— Дочь твоя́?

И похвали́л:

— Хоро́шая де́вочка. Не отдава́й её никому́ здесь у ва́с.

— Ра́но ей,— сказа́л оте́ц.— Там ви́дно бу́дет.

— Не отдава́й,— ещё раз сказа́л вса́дник и прое́хал.

Он носи́л свой шлем ни́зко, до брове́й. Суро́вые бро́ви нависа́ли над глаза́ми. Борода́ размета́лась.

Бо́роды и ко́нские гри́вы развева́лись на ветру́.

* * *

Подросла́, и пришло́ ей вре́мя идти́ за́муж.

Весть об э́том посла́ли в Ки́ев.

Из Ки́ева сва́ты прие́хали.

Они́ привезли́ её отцу́ пода́рки, и ей то́же, и повезли́ её в жёны кня́зю Игорю.

Она́ была́ ра́да.

И поплы́ли река́ми и поскака́ли су́шей.

Тяну́ли не́вод рыбаки́.

Пти́цы проноси́лись се́рыми и бе́лыми ту́чами.

И но́чью плы́ли, и, как в колыбе́ли, был сла́док сон.

Но́вый день разгора́лся за ле́сом. Ольга открыва́ла глаза́.

Доноси́лись голоса́ ви́тязей с други́х ло́док, впереди́ и сза́ди.

Эти ви́тязи,— сказа́ли Ольге,— её дружи́на.

И ста́рый Гу́да бу́дет ей служи́ть.

У неё бу́дут свои́ сёла и стада́.

Когда́ на́до бы́ло выходи́ть из ло́док и е́хать верхо́м, ста́рый Гу́да брал её на своего́ коня́. И по о́бе сто́роны е́хала дружи́на.

* * *

Игорь предста́л перед не́й, ро́стом в саже́нь, на лице́ всё большо́е, мужско́е: нос, рот, щёки. Жёлтые во́лосы стека́ли на гру́дь и пле́чи. Ру́ки бы́ли бе́лые, длиннопа́лые. Он к ней потяну́лся э́тими рука́ми, она́ вскочи́ла, ка́ждая жи́лка в ней боя́лась и би́лась.

А он смея́лся, и она́ то́же ста́ла смея́ться и пошла́ к нему́ в ру́ки.

Они́ жи́ли в просто́рных хоро́мах. У ни́х была́ ба́шня, с кото́рой вида́ть далеко́. Ко́мнаты у́браны ковра́ми, поду́шками и дорого́й посу́дой. Ско́лько строе́ний стоя́ло круго́м.

Ещё за го́родом бы́ло у ни́х име́ние. Там они́ держа́ли бо́льшую часть своего́ скота́. Кобыли́цы там пасли́сь и коро́вы, отка́рмливались волы́, во мно́жестве ходи́ли ку́ры, гу́си, у́тки.

Са́мое же це́нное храни́лось в го́роде. Ольга могла́ спроси́ть ключи́, прове́рить, всё ли на ме́сте. Но ста́рый Гу́да лу́чше берёг её добро́, чем сама́ бы она́ уберегла́. Он служи́л ещё Рю́рику,* отцу́ Игоря.

Встава́ли Ольга с Игорем, сади́лись за сто́л с дружи́ной. По́сле за́втрака Игорь шёл смотре́ть хозя́йство, а Ольга кача́лась с де́вушками на каче́лях. Перед полу́днем обе́дали, пото́м спа́ли. Пото́м у́жинали у себя́ ли́бо пирова́ли в гостя́х. Тут уж на́до бы́ло надева́ть бога́тые наря́ды. А то е́здили охо́титься. Ольга вы́училась стреля́ть из лу́ка и бить ножо́м. Вот она́ на охо́те: в мужско́й оде́жде, ша́пка с нау́шниками. Нож в но́жнах виси́т на груди́ на цепо́чке. И рад её конь лёгкой свое́й но́ше.

Так прожила́ ле́то и о́сень без забо́т. Но Игорь уе́хал с дружи́ной на полю́дье. * Прихо́дят к Ольге и спра́шивают:

— Ско́лько ста́нов прика́жешь запуска́ть? А она́ и не зна́ет, ско́лько у неё в до́ме ста́нов. Говори́т:

— Все запуска́йте.

— А с какóю пря́жею?

— Пря́жу, — онá сказáла, — запусти́те сáмую лу́чшую.

И утверди́лась главóй своему́ дóму.

С утрá, вмéсто игр, отправля́лась смотрéть, как пряду́т, как ткут, всé ли зáняты. Шла чи́нно, с лéстницы спускáлась плáвно. Впереди́ шёл клю́чник, отворя́л перед нéю двéри.

И до обéда врéмя теклó незамéтно. Но ужé к обéду подползáла тоскá, а к нóчи хоть вóем вой. Пу́сто за столóм без Игоря. Холоднá постéль без Игоря. И пéчи не грéли.

Сáмая лю́тая разлу́ка — пéрвая разлу́ка.

* * *

Тóлько веснóй он вороти́лся.

Пригнáли они́ лóдки с добрóм, сóбранным на полю́дье.

Одни́ повезли́ свою́ часть дáльше, надéясь продáть её с бóльшей вы́годой, чем в Киеве, а други́е остáлись на мéсте ждать, когдá подсóхнут дорóги и приéдут купцы́.

Игорь остáлся, и опя́ть они́ с Ольгой гуля́ли, охóтились и вмéсте восходи́ли на бáшню.

Лесá по холмáм, среди ни́х поля́ и лугá. Пестрéют сёла. Струи́тся Днепр, плыву́т лóдки.

Если смотрéть себé пóд ноги, видны́ кры́ши, дворы́, огорóды.

И ту стóрону Днепрá ви́дно с бáшни. Не тáк давнó там гуля́ли хазáрские табуны́. Подходи́ли к бéрегу и пи́ли днепрóвскую вóду. Но господи́н Олéг * прогнáл хазáр и расстáвил стрáжу.

Господи́н Олéг был тот князь, что отмéтил Ольгу и сосвáтал её для Игоря.

* * *

Тру́бы трубя́т под Ки́евом. Что тако́е?

Господи́н Оле́г идёт на Царьгра́д. * Он снаряди́л две ты́сячи корабле́й, по со́рок челове́к на корабле́. А трубачи́ сиде́ли на носу́ кораблей.

Корабли́ должны́ бы́ли идти́ под парусáми вдоль за́падного бе́рега Ру́сского мо́ря, * а уж отту́да в Царьгра́д.

Так перевози́лись това́ры.

Оле́г князь счастли́вый.

Оле́г вороти́лся с побе́дой.

С побе́дой возвраща́ется господи́н Оле́г.

Во́ины распродаю́т свою́ добы́чу, съе́хались к ним отовсю́ду купцы́.

И Ольга хо́дит в своём до́ме среди́ даро́в.

Слу́шайте, как бы́ло де́ло, пою́т певцы́. Страшне́е бу́ри мы предста́ли перед Царьгра́дом. Мо́ря не́ было ви́дно под на́шими корабля́ми. Импера́тор за́пер га́вань це́пью, да ра́зве от на́с запрёшься? Вы́садились мы в окре́стностях и пошли́ по́суху. А корабли́ Оле́г веле́л поста́вить на колёса, а ве́тер был попу́тный, и возопи́ли гре́ки на городско́й стене́, увидев, что на́ши паруса́ мча́тся на ни́х су́шей.

Мы ста́ли бить сте́ны. Вся́кое де́ло спо́рится, е́сли взя́ться уме́ючи.

По сию́ по́ру сидя́т гре́ческие казначе́и, отсчи́тывают нам зо́лото. Сто́лько того́ зо́лота, что у ни́х па́льцы заболе́ли счита́ть.

А когда́ мы отплыва́ли от Царьгра́да, вели́кий князь Оле́г приби́л свой щит к его́ воро́там, что́бы по́мнили.

* * *

Господи́на Оле́га укуси́ла змея́, и он у́мер, прокня́жив три́дцать лет и три го́да.

Ки́евским кня́зем стал Игорь. Сел на Оле́гово ме́сто, Ольга ря́дом.

— Чего́, ла́да, хо́чешь? — спроси́л.— Говори́.

— Дворе́ц ка́менный,— сказа́ла Ольга.

И позва́ли мастеро́в из Гре́ции.

Ольга им сказа́ла:

— Постро́йте нам дворе́ц, как у ва́шего импера́тора.

— На э́то всего́ твоего́ достоя́ния не хва́тит, княги́ня. Но мо́жем тебе́ постро́ить дворе́ц сла́вный и кре́пкий.

— Чтоб непреме́нно,— сказа́ла Ольга,— была́ при нём ба́шня, нам без неё нельзя́.

— Хорошо́,— согласи́лись мастера́.

И ста́ли стро́ить.

Сла́вно рабо́тали учёные мастера́. Порабо́тав, ходи́ли моли́ться в христиа́нскую це́рковь свято́го Илии́. Возвели́ дворе́ц, како́го в Ки́еве ещё не́ было.

* * *

А меж те́м древля́не отказа́лись плати́ть Ки́еву дань.

То бы́ло пле́мя ди́кое и тёмное, как тёмны и ди́ки бы́ли их леса́. Они́ обита́ли под бо́ком у Ки́ева, но не стреми́лись перенима́ть до́брое у киевля́н. Они́ продава́ли ко́жи, а са́ми ходи́ли в лаптя́х: не име́ли поня́тия о благоле́пии и че́сти. Они́ приноси́ли бога́м челове́чьи же́ртвы. У ни́х неве́сту не приводи́ли к жениху́ по-хоро́шему, они́ умыка́ли себе́ неве́ст.

Са́мое дорого́е в их да́ни бы́ли чёрные куни́цы,

их бра́ли нарасхва́т во все́х стра́нах. Чёрная куни́ца шла почти́ в це́ну со́боля.

Тепе́рь древля́не затвори́лись в свои́х города́х.

Быва́лые воево́ды уда́рили на древля́н. Они́ победи́ли древля́н и взя́ли у ни́х куни́ц, бе́лок и про́чее.

По́сле э́того реши́л Игорь сходи́ть на Царьгра́д. Два ра́за ходи́л.

А пока́ Игорь воева́л, Ольга сы́на родила́. Имя да́ли сыно́чку — Святосла́в.

Вдовство́.

С во́зрастом Игорь стал тяготи́ться труда́ми, норови́л сиде́ть до́ма.

Рассерди́лась Игорева дружи́на и сказа́ла:

— Ску́чно нам у тебя́. Мы тут с тобо́й сиди́м бессла́вно на́ги и бо́сы. Сходи́л бы с на́ми куда́. И мы себе́ добу́дем и ты себе́.

Согласи́лся Игорь.

Отъе́хали они́.

Минова́ла зима́. Прилете́ли журавли́. А Игоря нет и нет. Затрево́жилась Ольга.

На рассве́те бу́дят её и говоря́т:

— К тебе́ древля́не пришли́.

Она вы́шла, а древля́не, челове́к два́дцать, стоя́ли на дворе́.

— Что вам?

Они́ отве́тили:

— Нас посла́ла Древля́нская земля́ извести́ть тебя́, что мы уби́ли твоего́ му́жа Игоря.

Она́ спроси́ла:

— За что́?

— За то́,— отве́тили они́,— что он гра́бил нас, как волк. Он за да́нью пришёл, всё у на́с повы́брал. Но ему́ ма́ло бы́ло. Он дружи́ну отосла́л, а сам

верну́лся с небольши́м число́м люде́й и говори́т: ещё дава́йте. Твой муж Игорь был сли́шком жа́дный.
Она́ спроси́ла:
— Как вы уби́ли его́?
Они́ отве́тили:
— Мы его́ привяза́ли к двум дере́вьям, пото́м их отпусти́ли, и его́ те́ло разорвало́сь попола́м. Уж о́чень он мно́го забра́л. И воск, и мёд, и дёготь. Нехоро́ший был челове́к. Вот наш князь — хоро́ший челове́к. Хра́брый. Выходи́ за на́шего Ма́ла. Вдово́й быть пло́хо. Мы понима́ем.
Ещё она́ спроси́ла:
— Где э́то бы́ло?
— В го́роде, где пра́вит Мал. Выходи́ за Ма́ла.
Она́ молча́ла и ду́мала. Поду́мав, сказа́ла им:
— Вы говори́те хорошо́. Почему́ бы мне за него́ не пойти́? Иди́те тепе́рь в свои́ ло́дки. Вам туда́ принесу́т ку́шанье и посте́ль. Вы отдыха́йте. И когда́ приду́т от меня́ звать вас, говори́те: на коня́х не поéдем, пе́шие не пойдём, неси́те нас в ло́дках. Они́ понесу́т. Бу́дет честь и вам, и Ма́лу.
И смотре́ла им вслед. Пото́м хло́пнула в ладо́ши, и всё забе́гало по её сло́ву.
И повезли́ древля́нам жа́реного и па́реного. Пироги́, лапшу́, уху́ и пи́во, и мёд: чёрно-кра́сный, как бы́чья кровь, и прозра́чный, как вода́. Ква́сы, кисе́ль, щи.
Уж и пирова́ли древля́не.
А между́ те́м ры́ли я́му. Холмы́ све́жей земли́ вы́сились круго́м.
На коне́ подъезжа́ла Ольга, загля́дывала. Её спра́шивали:
— Не дово́льно ли?
Она́ отвеча́ла:
— Копа́йте.

Ра́нним у́тром пришли́ от неё к древля́нам, ста́ли буди́ть.

— Ольга зовёт вас,— сказа́ли по́сланные.— Пешко́м пойдёте? Или коне́й пода́ть?

Они́ вспо́мнили, что она́ нака́зывала.

— Не пойдём и не пое́дем,— сказа́ли.— Ваш князь уби́т, ва́ша княги́ня хо́чет за на́шего кня́зя, неси́те нас к ней в ло́дках.

— Придётся,— сказа́ли по́сланные.

И понесли́.

По всему́ Киеву пронесли́ Ольгины лю́ди древля́н, и отовсю́ду бежа́л наро́д со сме́хом, а древля́не сиде́ли и горди́лись:

— Смотри́те, смотри́те, киевля́не, как нас несу́т.

До после́днего ми́га горди́лись, до того́ ми́га, когда́ полете́ли с ло́дками куда́-то вниз и уви́дели себя́ раски́данными по глубо́кой холо́дной я́ме.

Ольга наклони́лась над я́мой и кри́кнула:

— Что, сва́ты, дово́льны ли че́стью?

— Ох,— отве́тили,— ху́же Игоревой сме́рти.

— То́-то,— сказа́ла Ольга и махну́ла руко́й. И зарабо́тала со́тня за́ступов, засыпа́я зе́млю.

Стоя́ла дружи́на, стоя́ли киевля́не. Всё э́то ви́дели.

* * *

Ольга же посла́ла к древля́нам ве́рных люде́й и веле́ла сказа́ть так:

— Я на доро́ге к вам. Гото́ва пойти́ за ва́шего кня́зя. То́лько снача́ла хочу́ спра́вить три́зну * на моги́ле моего́ му́жа Игоря. Навари́те побо́льше медо́в.

Древля́не обра́довались и ста́ли вари́ть. На вся́кий слу́чай они́ вооружи́лись, как на би́тву, выходя́ за сте́ны встреча́ть Ольгу. Но к ра́дости уви́дели, что при не́й небольша́я охра́на.

— Ви́дим,— сказа́ли,— что ты без зло́бы прихо́дишь к нам. А где те, кого́ мы посыла́ли в Ки́ев?

— Они́ за мно́й е́дут,— отвеча́ла она́,— с остально́й мое́й дружи́ной. Задержа́лись, охо́тясь. Веди́те меня́ на Игореву моги́лу.

И все пое́хали к Игоревой моги́ле.

Черны́, черны́, грома́дны древля́нские леса́. Без провожа́того никуда́ доро́г не найдёшь, пропадёшь.

Вы́ехали наконе́ц на поля́ну, где был насы́пан бугóр над Игорем.

Ольга сошла́ с коня́, поднялáсь на бугóр, он уж успе́л травóй порасти́. Легла́ и пла́кала:

— Ох, муж мой Игорь, вот где лежи́т твоё те́ло бе́лое, попола́м расте́рзанное. Вот где закры́лись твои́ о́чи. Не откро́ешь, не гля́нешь на свою́ Ольгушку.

Слу́шавшие изнемогли́. Тем с бо́льшим рве́нием ста́ли есть и пить, рассе́вшись по скло́нам бугра́. На верши́не сиде́ла Ольга в чёрном платке́ и отдыха́ла от пла́ча. Тут пошли́ в ход меды́. А когда́ истёк день, как поле́нья валя́лись древля́не, и мужчи́ны и же́нщины. Ольга вста́ла и сказа́ла свои́м:

— Руби́те.

Её дружи́нники ста́ли руби́ть подря́д, так и кати́лись го́ловы вниз по бугру́.

Уже́ но́чью ко́нчили свою́ рабо́ту дружи́нники. Яркий ме́сяц стоя́л над Игоревой моги́лой.

* * *

Прошла́ о́сень, за не́й зима́.

Ольга убива́лась об Игоре.

От го́ря ввали́лись щёки, сама́ собо́й ско́рбно кача́лась голова́.

Бессо́нными, бесконе́чными ста́ли но́чи.

Но всю о́сень и зи́му рабо́тали оруже́йники. Зака́з большо́й им был от княги́ни, и они́ стара́лись.

Весно́й, по её прика́зу, ста́ли стека́ться в Киев молоды́е ребя́та. Ольга с ба́шни смотре́ла, как их обуча́ют на лугу́. Как они́ стреля́ют в цель, ме́чут ко́пья и ска́чут друг на дру́га, вы́ставив щиты́.

И тро́нулось во́йско.

Ехала Ольга среди́ во́инов. И Святосла́в * е́хал. Ему́ бы́ло четы́ре го́да. Уже́ стри́гла ему́ пе́рвый раз во́лосы и посади́ла на коня́.

* * *

Когда́ показа́лась навстре́чу древля́нская рать, Ольга подала́ Святосла́ву копьё и сказа́ла:

— Начина́й ты.

Святосла́в толкну́л копьё, но оно́ сли́шком бы́ло для него́ тяжёлое — пролете́ло у его́ коня́ ме́жду уша́ми и упа́ло ту́т же. Тем не ме́нее сказа́ли во́йску:

— Князь уже́ на́чал. За кня́зем.

И киевля́не поскака́ли, вы́ставив ко́пья и прикры́вшись щита́ми. И древля́не сде́лали то́ же са́мое. А съе́хавшись бли́зко, меча́ми руби́лись.

Святосла́в от ра́дости подпры́гивал в седле́ и крича́л:

— Ого-го́!

Не вы́стояли древля́не. Побежа́ли и за́перлись в свои́х города́х. И е́сли города́ не сдава́лись, те Ольга жгла. А те, кото́рые перед не́й открыва́лись, она́ ми́ловала. И назна́чила, что бу́дут плати́ть кня́зю своему́ Святосла́ву и ей, свое́й княги́не.

И прошла́ с во́йском по все́й свое́й земле́.

Установи́ла — с кого́ кака́я дань, что испра́вить. И писцы́ её запи́сывали.

Везде́ навела́ поря́док. Шла не спеша́. Остана́вливалась, охо́тилась, смотре́ла, где что как. Наведя́ поря́док, верну́лась в Ки́ев и се́ла отдыха́ть в своём ка́менном дворце́.

* * *

Сиди́т она́ в чи́стой ко́мнате. Тепло́.

Вдоль сте́н сидя́т же́нщины, пряду́т. Бежи́т у ни́х ме́жду па́льцами ро́вная нить.

А ста́рый стари́к Гу́да расска́зывает про старину́, а певцы́ сла́вят Ольгу.

Ай да Ольга, пою́т, ай да княги́ня. Ты́сячу древля́н положи́ла одно́й свое́й прему́дростью. И не ты́сячу. Две ты́сячи. Три. Пять ты́сяч.

К кому́ приравня́ем её? Чей щит на царьгра́дских врата́х?

То́лько с Оле́гом сравня́ем на́шу Ольгу.

* * *

Святосла́в вошёл в го́ды му́жества.

— Вре́мя жени́ть кня́зя Святосла́ва,— сказа́ла Ольга.— Чтоб нам от его́ жени́тьбы честь была́. Земля́ бога́тая, у наро́дов на на́ши бога́тства глаза́ горя́т; а че́сти ма́ло.

— С гре́ческими влады́ками подоба́ет родни́ться,— сказа́л Гу́да.— Святосла́в — внук Рю́рика.

— Бо́льно го́рдые гре́ки,— сказа́ла Ольга.

— То́лько их цари́,— сказа́л Гу́да,— и́стинные базиле́всы * перед ми́ром. А ны́нешний Константи́н рождён в багряни́це. В его́ роду́ на́до иска́ть неве́сту.

13-01327

* * *

Онá велéла позвáть свящéнника Григóрия из цéркви святóго Илии́. Уж не рáз онá егó призывáла.

Пришёл грек. Пóднял чи́стую рýку, рукóй начертáл в вóздухе крест мéжду собóй и Ольгой.

— Говори́шь,— онá спроси́ла,— что, умерéв, я в тó же врéмя бýду живá-здорóва у бóга на небесáх?

— Так,— подтверди́л он,— éсли при́мешь крещéние.

— Не могý поня́ть.

— Увéровать нýжно. Вéра бóлее могýча, нéжели понимáние. Крести́сь, и придёт вéра. Ты сейчáс пости́гнуть не мóжешь, как всё перемéнится в тебé и вокрýг тебя́. И пóсле смéрти душá твоя́ не бýдет качáться на вéтке, как вы, злосчáстные, вéруете, в ви́де нагóй и мóкрой русáлки, а поки́нув свою́ оболóчку, пря́мо вознесётся к престóлу всевы́шнего. Оттýда нисхóдит к нам вся́кая ми́лость и вся́кий гнев. Чтóбы не наслáли на тебя́ печенéгов и́ли чегó-нибудь ещё похýже, скажи́ немéдля: бóже, ми́лостив бýди мне, грéшной.

Онá э́то повтори́ла, потóм сказáла:

— Я соглáсна, что оболóчка моя́ к стáрости станóвится непригля́дной, но я с ней сви́клась. Нельзя́ ли, чтóбы онá тóже пошлá к всевы́шнему вмéсте с душóй?

— Чегó нельзя́, тогó нельзя́,— отвéтил он. Он говори́л со стрóгостью и знáнием дéла.

— Хазáры * тóже свою́ вéру хвáлят,— сказáла Ольга.

Он высокомéрно улыбнýлся.

— Поезжáй в Константинóполь. Что ты

ви́дела? Что зна́ешь? Узри́ свои́ми глаза́ми сла́ву Христо́ву. Поезжа́й в Константино́поль.

Путеше́ствие в Царьгра́д

Она́ пое́хала.

Они́ вы́шли в мо́ре.

Ру́сским звало́сь оно́. Потому́ что давны́м-давно́ мы здесь пла́вали.

Прибли́зились к чужи́м берега́м, плы́ли вдоль ни́х. Там одни́ пески́ бы́ли как серебро́ сере́бряные, други́е как зо́лото золоты́е.

* * *

Горя́чий был Босфо́р, тёмно-си́ний, сине́е не́ба.

Многоцве́тный возлежа́л на холма́х Царьгра́д.

Сия́ли его́ купола́, беле́ли колонна́ды и а́рки.

Сбега́ли с холмо́в у́лицы.

Ты́сячи кораблей в га́вани.

В том числе́ и на́ших бы́ло мно́го: новгоро́дских, смоле́нских, черни́говских. Они́ дожида́лись, когда́ гре́ки перепи́шут у ни́х това́ры, возьму́т по́шлины и пу́стят на бе́рег.

И Ольге сказа́ли ждать, и ждала́, бу́дто гвоздём приби́тая к кораблю́.

Чего́-чего́, а э́того не ча́яла.

— Ты чу́вствуй, к кому́ прие́хала,— укрепля́л её Григо́рий.— К влады́ке правосла́вного ми́ра. Но не бо́йся, при́мет тебя́, найдёт вре́мя.

— Мо́жно бы уже́ и найти́,— отвеча́ла.

Раскаля́лось ле́то. Меня́лись в цве́те сады́ и виногра́дники.

Бе́лые ру́ки и ли́ца потемне́ли от зага́ра.

От восхо́да до зака́та высма́тривали: не плывёт ли гоне́ц с изве́стием. Но не́ было гонцо́в.

А ле́то проходи́ло. Уже́ е́ли виногра́д и пи́ли молодо́е вино́. Глаза́ не могли́ бо́льше гляде́ть на бли́зкий и далёкий, ненави́стный го́род. А гонца́ не́ было.

— Дово́льно,— вскрича́л Гу́да.— Ты вдова́ Рю́рикова сы́на. С ни́ми на́до разгова́ривать огнём и желе́зом. Уйдём и вернёмся с во́йском.

— Замолчи́,— сказа́ла она́.— Хороша́ я бу́ду, верну́вшись не со́лоно хлеба́вши. Не́т уж, тепе́рь исхо́д оди́н — доби́ться своего́.

Но ко́нчилась пы́тка ожида́ния. Яви́лись гонцы́, с ни́зкими покло́нами, с улы́бками. Гонцы́ извести́ли, что импера́тор бу́дет рад приве́тствовать её у себя́ во дворце́.

* * *

Вноси́лках её понесли́ по го́роду.

Шёл наро́д по у́лицам. Игра́ли сму́глые де́ти.

Смотре́ли святу́ю Софи́ю. Вошли́ внутрь. Ско́лько звёзд в не́бе, сто́лько там пыла́ло свече́й перед ико́нами. Огни́ мно́жились в мра́море коло́нн и дроби́лись в зо́лоте и дороги́х каме́ньях. От э́того с неприв́ычки пол плыл под нога́ми, как на корабле́ в ка́чку.

Гря́нуло пе́ние. Пе́ло мно́жество голосо́в, согла́сно и прекра́сно. Ольга огляну́лась и не уви́дела, кто поёт и где — спра́ва, сле́ва, наверху́ ли, внизу́ ли: но как бу́дто ря́дом пе́ли. В могу́чем пото́ке голосо́в и огне́й бы́ло торже́ственно неви́данное, неслы́ханное. Ольга пошла́ да́льше, вся напо́лненная э́тим пе́нием и све́том.

* * *

Шестна́дцать полукру́глых о́кон в ку́поле излива́ли в пала́ту свет, и она́ была́ подо́бна хра́му. На стене́ под ку́полом золото́й и цветно́й моза́икой изображён Христо́с.

Под царём небе́сным находи́лось возвыше́ние,

закры́тое заве́сой. Ру́сских поста́вили про́тив заве́сы. Два чи́на отдёрнули заве́су, за не́й си-де́л импера́тор. Все па́ли ниц. Ольга не па́ла, а лишь наклони́ла го́лову. Она́ разгля́дывала сидя́щего на ни́жнем престо́ле. Взгляд со́нный. Сиде́л неподви́жно. На голове́ золото́й вене́ц, над ни́м впереди́ возвыша́лся крест из пяти́ жемчу́жин дико́винной величины́.

Так он сиде́л до́лгое вре́мя, пото́м руко́й по́дал знак. Ольгу повели́ и посади́ли в кре́сло лицо́м к лицу́ с ним.

Ольга сказа́ла:

— Вот моё де́ло. У тебя́ това́р, у меня́ купе́ц. Сын мой подро́с, вели́кий князь Святосла́в Игоревич, внук Рю́рика. А у тебя́ в роду́ неве́сты есть. Была́ б коры́сть и нам и тебе́ — породни́ться. А Святосла́в у меня́ приго́жий да хра́брый.

Всё сказа́ла как нельзя́ лу́чше. Но он молча́л.

Он спроси́л:

— В твое́й сви́те име́ется свяще́нник. То духо́в-ник твой?

Она́ не поняла́.

Толма́ч спроси́л от себя́:

— Ты крещена́? Нет?

— Я хочу́ крести́ться,— сказа́ла Ольга.

— Мы бу́дем твои́м восприе́мником,— сказа́л Константи́н.

И склони́л взор, отпуска́я её.

Ольга сошла́ с возвыше́ния. Заве́са задёрну-лась. Пото́м её повели́ обе́дать с импера́тором.

* * *

Это звало́сь то́лько так. На де́ле импера́тор с семе́йством обе́дал за одни́м столо́м, а Ольгу посади́ли за друго́й. Ольге сиде́ть бы́ло оби́дно. Она́ недо́бро посма́тривала на импера́тора. Тот стол стоя́л высоко́, взира́ть на него́ приходи́лось сни́зу. И Ольге станови́лось всё оби́днее.

Тем не ме́нее она́ приняла́ христиа́нское креще́нье. Патриа́рх наста́вил её в пра́вилах ве́ры, и о́н же крести́л, а импера́тор, как обеща́л, был крёстным отцо́м. Она́ приказа́ла купи́ть са́мое дорого́е блю́до и подари́ла его́ патриа́рху. Блю́до тяжёлое бы́ло лито́го зо́лота, посреди́не напи́сан лик Христа́. Его́ вы́ставили в Софи́и на ви́дном ме́сте.

Перед отъездом Ольга ещё раз побыва́ла во дворце́ и тепе́рь уже́ обе́дала на возвыше́нии с императри́цей. Импера́тор на проща́нье ещё бесе́довал с ней.

— А како́е бу́дет твоё сло́во,— спроси́ла,— насчёт моего купца́ и твоего́ това́ра?

— Об э́том на́до поду́мать,— ответил он.— Мы поду́маем.

Перед отъе́здом посла́ла спроси́ть — поду́мал ли. Ей сказа́ли:

— Импера́тор поду́мает во благовре́мении.

Бли́зилась о́сень. Ру́сские поплы́ли домо́й.

Святосла́в

Едет Святосла́в перед дружи́ной, поёт пе́сню.

— А-а-а-а-а-а... — поёт Святосла́в.

Едет печене́жский * князь Ку́ря перед свои́ми вса́дниками и поёт пе́сню.

— А-а-а-а... — поёт князь Ку́ря.

У кня́зя Ку́ри лицо́ скула́стое, с расплю́щенным но́сом, тёмно-кори́чневое от степно́го со́лнца, глаза́ — две косы́е щёли.

У Святосла́ва лицо́ широко́е с плоскова́тым но́сом, от зага́ра кра́сно, как кирпи́ч. Голубы́е глаза́ смо́трят светло́ и бесстра́шно. На прива́ле разведёт с дружи́нниками костёр, наре́жут кони́ны, испеку́т в у́гольях. Не во́дят за собо́й стад. Чего́ нельзя́ увезти́ в седле́, то им без на́добности.

Зато́ передвига́ется легко́. Как гром среди́ я́сного не́ба уда́рит там, где не ждут.

Как гром гря́нул на хаза́р. Хаза́ры бра́ли дань с вя́тичей. Святосла́в напа́л на вя́тичей, поби́л их, веле́л впредь ничего́ хаза́рам не дава́ть, ему́ дава́ть, Святосла́ву. Пото́м сде́лали де́ло в Ити́ле.* Пото́м спусти́лись по Во́лге к Семенде́ру.*

Всех бил подря́д.

Дружи́на за него́ умере́ть была́ гото́ва.

Родила́ жена́ сы́на. Яропо́лком назва́ли. Сама́ в ро́дах умерла́.

Второ́й раз Ольга жени́ла Святосла́ва на де-ви́це из Но́вгорода.

А Святосла́в уже́ отдохну́л и ухо́дит сно́ва. Едет перед дружи́ной, поёт:

— А-а-а-а...

Со́лнце жжёт, ко́ршун кру́жит, встаю́т не-ве́домые города́. Сласть.

К Ольге пришла́ ста́рость.

Тепе́рь ждать, пока́ подрасту́т князья́-вну́ки. Вот второ́й рождён благополу́чно.

* * *

Святосла́в в избе́ сиде́л с това́рищами. День был жа́ркий, они́ поскида́ли руба́хи и сапоги́. Так нашёл его́ гре́ческий посо́л.

— Подожди́,— сказа́л Святосла́в.

Посо́л присе́л на ла́вку. Святосла́в поверну́лся:

— Чего́ на́до-то?

— Я не мо́г ждать твоего́ возвраще́ния в Ки́ев,— сказа́л посо́л.— Импера́тор Ники́фор и́щет твое́й по́мощи. Он бу́дет твой друг до конца́ дней, е́сли уда́ришь с Дуна́я на болга́р.

Святосла́в пошёл с дружи́ной в Болга́рию. Огляде́лся и полюби́л э́ту страну́. Го́ры в ней бы́ли — кре́пости. Доли́ны плодоро́дны. Лю́ди до́блестны, краси́вы и трудолюби́вы.

Импера́тор присла́л сказа́ть ему́:

— Что́ же ты? Ко́нчил де́ло, получа́й пла́ту и уходи́.

Святосла́в отве́тил:

— Русь не подёнщики.* Вы, гре́ки, иди́те прочь из Болга́рии.

И го́рными доро́гами дви́нулся на гре́ков.

С Ру́сью шли болга́ры и ве́нгры.

* * *

Снача́ла киевля́не ничего́ не заме́тили: спа́ли по́сле обе́да и не ви́дели, как на то́й стороне́, за Днепро́м, подняли́сь столбы́ ды́ма. Зна́ки опа́сности, весть, что показа́лся враг.

Печене́ги.*

Отря́д за отря́дом выезжа́л из ле́са — ви́димо-неви́димо.

Ве́рно, но́чью переплы́ли Днепр.

Что сде́лалось.

Спеши́ли киевля́не укры́ться в го́роде. Закры́лись городски́е воро́та. В Ки́еве во́йска не́ было. Печене́гов не жда́ли. Воево́да Пре́тич стоя́л с во́йском для защи́ты со стороны́ степи́. В после́дний час перед те́м, как сомкну́ться кольцу́ оса́ды, отъе́хал от Ольги гоне́ц в Болга́рию.

* * *

Сиде́ли осаждённые на земле́ под не́бом.

Сперва́ е́ли свои́ запа́сы. Пото́м Ольга ста́ла корми́ть.

Хле́бом, мя́сом, ква́шеной капу́стой. Съе́ли зерно́. Съе́ли коро́в и свине́й.

Вы́пили во́ду в коло́дцах.

Ноча́ми крича́ли младе́нцы на рука́х у матере́й.

Младе́нцы умира́ли.

Ста́ли и взро́слые умира́ть. Зака́пывали где придётся.

Воево́да Пре́тич вы́шел к Днепру́ про́тив Ки́ева и уви́дел на пра́вом берегу́ несме́тную си́лу печене́гов. Во́йско сказа́ло:

— Они́ нас перебью́т.

Ви́дя, что наде́жды бо́льше нет, киевля́не заговори́ли:

— Сдава́ться на́до. Всё равно́ пропадём от го́лода и жа́жды.

Оди́н ю́ноша уме́л говори́ть по-печене́жски. Он взял узде́чку и тихо́нько вы́шел из го́рода. С узде́чкой ходи́л среди́ печене́гов и спра́шивал на печене́жском языке́:

— Моего́ коня́ никто́ не ви́дел?

Так он дошёл до Днепра́. А там поплы́л на ту́ сто́рону. Стре́лы полете́ли за ни́м, но он был уже́ далеко́ и во́ины Пре́тича плы́ли в ло́дках навстре́чу ему́. Он им сказа́л:

— Если не сде́лаете при́ступ, киевля́не откро́ют печене́гам воро́та.

Они́ совеща́лись всю ночь и приду́мали хи́трость. Чуть све́т се́ли в ло́дки и затруби́ли изо все́х сил. Из Ки́ева откли́кнулись лику́ющие тру́бы.

— Святосла́в! — закрича́ли печене́ги. Разбежа́лись по леса́м. А Пре́тич погна́л ло́дки к Ки́еву.

Но что там за ту́ча над доро́гой? Пы́льная ту́ча до небе́с.

— Святосла́в,— вскрича́ли во́ины Пре́тича.

— Святосла́в,— сто́ном пронесло́сь со сте́н осаждённого го́рода.

— Святосла́в,— ау́кнулось в леса́х.

— Святосла́в, ди́тятко,— прошепта́ла Ольга.

Он ми́мо в ту́че промча́лся и погна́л печене́гов.

* * *

— Сыно́к,— сказа́ла Ольга,— ты чужо́й земли́ и́щешь, а нас тут чуть-чу́ть печене́ги не взя́ли.

Он сиде́л по́сле ба́ни чи́стый и ещё бо́лее кра́сный лицо́м.

— Они́ опя́ть приду́т, е́сли ты уйдёшь,— сказа́ла Ольга.— Оста́нься с на́ми.

— Ма́ти моя́,— отвеча́л он.— На ме́сте си́дя, не мно́го сде́лаешь.

Он стал ла́сково её угова́ривать.

— Сыно́чек,— сказа́ла она́,— а ты зна́ешь, что сто́ит печене́жский князь Ку́ря, по-и́хнему означа́ет «чёрный», и э́тот чёрный князь покля́лся из твоего́ че́репа сде́лать себе́ ча́шу для питья́? Оста́нься, родно́й.

— Что мне князь Ку́ря,— отвеча́л Святосла́в.— Не проси́. Пусть Ру́сской Землёй сыновья́ управля́ют.

Ста́ршему:

— Тебе́, Яропо́лк, отдаю́ Ки́ев.

Мла́дшему:

— Тебе́, Оле́г, Древля́нскую Зе́млю.

Но есть ещё сын, ме́ньше Оле́га, Влади́мир. * Добры́ня, дя́дя Влади́мира, шушу́кается с посла́ми. Говоря́т послы́ новгоро́дские:

— Дай и нам кня́зя из твоего́ ро́да. Влади́мира дай.

— Он же младе́нец ещё.

— И хорошо́: вы́растет с на́ми и бу́дет чтить наш обы́чай.

— Бери́те,— сказа́л Святосла́в.

Новгоро́дцы взя́ли ма́ленького Влади́мира и

его́ дя́дю Добры́ню и повезли́ к себе́ на се́вер. А Святосла́в стал собира́ться обра́тно в Болга́рию.

Наста́л день его́ отъе́зда. Он поцелова́лся с Ольгой и поклони́лся ей в но́ги. И она́ его́ перекрести́ла.

Он сел на своего́ коня́, и тро́нулись.

Взошла́ Ольга на ба́шню — погляде́ть ему́ вслед.

Очень высо́кая ста́ла э́та ба́шня.

Без числа́ ступе́нек у ле́стницы.

Ещё ступе́нька.

Ещё.

Идёшь, идёшь — всё перед тобо́й ступе́ни. И на ка́ждую ведь на́до подня́ться.

Ольга, Olga (?-969), the wife of the Kievan Prince Igor (?-945) who ruled from 912. Olga ruled as regent in place of their small son Svyatoslav, and also during his campaigns. She accepted Christianity around 957.

Псков, Pskov, an ancient Russian town, now the centre of Pskov Region

Рю́рик, Rurik; according to the Chronicles, the leader of the Varangians who was asked by the Slavs to rule in Novgorod

полю́дье (*hist.*), tax collection

Оле́г, Oleg (?-912), the first historically authenticated Prince of Kievan Rus

Царьгра́д, Tsargrad, the Old Russian name for Constantinople, now Istanbul

Ру́сское мо́ре, the Russian Sea, the Old Russian name for the Black Sea

древля́не, the name of a tribe of Slavs, which dwelt in forests

три́зна, funeral feast

Святосла́в, Svyatoslav (?-972), the Prince of Kiev

and the son of Igor; he was killed by the Pechenegs

базиле́вс, emperor

хаза́ры, a Turkic-speaking people which appeared in Eastern Europe following the Hun invasion of the 4th century A. D.

печене́ги, *see notes on p. 69*

Ити́ль, the Itil, the mediaeval Arabic and Persian name for the river Volga

Семенде́р, Semender, an old town in the Northern Caucasus destroyed in the 10th century A. D.

подёнщик, a hired worker

Влади́мир, Vladimir (?-1015), the Prince of Novgorod (from 969) and Kiev (from 980), the son of Svyatoslav

Дорогой читатель!
Надеемся, что эта книга помогла Вам в освоении русского языка.
Желаем Вам дальнейших успехов!

ABOUT THE AUTHORS

Аста́фьев Ви́ктор Петро́вич, Victor Astafiev (*b.* 1924), a Russian Soviet writer and winner of the USSR State Prize; his stories tackle critical problems and topics, and are psychologically profound.

Ахма́това А́нна Андре́евна, Anna Akhmatova (1889-1966), a Russian Soviet poetess; her work is marked out by an intense psychologism together with a classically lucid language.

Ба́льмонт Константи́н Дми́триевич, Konstantin Balmont (1867-1942), a Russian poet. His poetry is distinguished by its musical quality, richness of alliteration, and its masterly internal rhyme system.

Белоу́сова Гали́на Кузьми́нична, Galina Belousova (*b.* 1920), a Russian Soviet author of lyrical verse.

Благи́нина Еле́на Алекса́ндровна, Elena Blaginina (*b.* 1903), a Russian Soviet poetess, the author of lyrical and children's verse.

Богомо́лов Влади́мир Оси́пович, Vladimir Bogomolov (*b.* 1926), a Russian Soviet writer on heroic themes.

Бонч-Бруе́вич Влади́мир Дми́триевич, Vladimir Bonch-Bruyevich (1873-1955), a Soviet Party and state figure; he was the author of reminiscences about Lenin.

Во́лков Алекса́ндр Меле́нтьевич, Alexander Volkov (1891-1977), a Russian Soviet author of historical novels, a translator and children's writer.

Воро́нин Серге́й Алексе́евич, Sergei Voronin (*b.* 1913), a Russian Soviet writer, known for his works devoted to village life and toil.

Городе́цкий Серге́й Митрофа́нович, Sergei Gorodetsky (1884-1967), a Russian Soviet poet.

Дамди́нов Никола́й Грама́евич, Nikolai Damdinov (*b.* 1932), a Buryat Soviet poet.

Дво́рников Евге́ний Ива́нович, Evgeny Dvornikov (*b.* 1937), a journalist, essayist, and poet.

Евтуше́нко Евге́ний Алекса́ндрович, Yevgeny Yevtushenko (*b.* 1933), a Russian Soviet poet. Many of his verses have been made into popular songs.

Исако́вский Миха́йл Васи́льевич, Mikhail Isakovsky (1900-1973), a Russian Soviet poet, twice awarded the USSR State Prize, the author of popular verses. Many of his poems have been made into popular songs.

Касси́ль Лев Абра́мович, Lev Kassil (1905-1970), a Russian Soviet writer and one of the founders of Soviet children's literature. A USSR State Prize winner.

Ката́ев Валенти́н Петро́вич, Valentin Katayev (1897-1986), a Russian Soviet writer. Hero of Socialist Labour and a USSR State Prize winner. His books reflect the main stages of the building of socialism in the USSR. In recent decades his works have been of a lyrical and philosophical nature.

Коже́вников Вади́м Миха́йлович, Vadim Kozhevnikov (1909-1984), a Russian Soviet writer, Hero of Socialist Labour and a USSR State Prize winner. His works depict the heroic qualities of Soviet man.

Ко́нонов Алекса́ндр Тере́нтьевич, Alexander Kononov (1895-1957), a Russian Soviet writer and the author of popular stories about Lenin.

Ле́бедев-Кума́ч Васи́лий Ива́нович, Vassily Lebedev-Kumach (1898-1949), a Russian Soviet poet. Many of his verses have been made into popular songs.

Ле́рмонтов Миха́йл Юрьевич, Mikhail Lermontov (1814-1841), a Russian writer of the first half of the 19th century.

Луговско́й Влади́мир Алекса́ндрович, Vladimir Lugovskoy (1901-1957), a Russian Soviet poet whose work is characterised by heroic pathos.

Марты́нов Леони́д Никола́евич, Leonid Martynov (1905-1980), a Russian Soviet poet and winner of the USSR State Prize. His philosophical lyric poetry is notable for its use of aphorisms, its humour and experimentation with form.

Марша́к Самуи́л Яковлевич, Samuel Marshak (1887-1964), a Russian Soviet poet and translator; a winner of the Lenin and USSR State Prizes and a leading light in Soviet children's literature.

Наги́бин Юрий Ма́ркович, Yuri Nagibin (*b.* 1920), a Russian Soviet writer, the author of lyrical tales and stories about working and artistic people.

Ники́тин Серге́й Константи́нович, Sergei Nikitin (1926-1973), a Russian Soviet author of stories about the contemporary Soviet village.

Но́сов Евге́ний Ива́нович, Evgeny Nosov (*b.* 1925), a Russian Soviet writer of lyrical prose, mainly about the modern village life.

Обу́хова Ли́дия Алекса́ндровна, Lydia Obukhova (*b.* 1924), a Russian Soviet author of stories about contemporary people. Her short novel *The Earth's Astral Son* tells of the first cosmonaut, Yuri Gagarin.

Олёша Юрий Ка́рлович, Yuri Olesha (1899-1960), a Russian Soviet writer who showed the development of the personality during the building of Socialism. Characteristic of his style are unusual similes.

Пано́ва Ве́ра Фёдоровна, Vera Panova (1905-1973), a Russian Soviet writer and winner of the USSR State Prize. Her stories contain expressive portraits of her contemporaries. She has also written works on historical themes.

Пастерна́к Бори́с Леони́дович, Boris Pasternak (1890-1960), a Russian Soviet poet; characteristic of his works is a deep empathy with nature.

Паусто́вский Константи́н Гео́ргиевич, Konstantin Paustovsky (1892-1968), a Russian Soviet writer and master of lyrical prose.

Песко́в Васи́лий Миха́йлович, Vassily Peskov (*b.* 1930), a Russian Soviet writer and journalist, a Lenin Prize winner. The principal themes of his work are Nature and its conservation.

Плато́нов Андре́й Плато́нович, Andrei Platonov (1899-1951), a Russian Soviet author of lyrical and epic prose. His heroes strive to comprehend their place and role in life.

Потие́вский Ви́ктор Алекса́ндрович, Victor Potiyevsky (*b.* 1937), a Russian Soviet poet and translator.

Приста́вкин Анато́лий Игна́тьевич, Anatoly Pristavkin (*b.* 1931), a Russian Soviet writer, publicist and a master of the lyric miniature.

При́швин Михаи́л Миха́йлович, Mikhail Prishvin (1873-1954), a Russian Soviet writer, author of philosophical and lyrical prose connected with the study and poetic depiction of Nature.

Росто́вцев Михаи́л Ива́нович, Mikhail Rostovtsev (*b.* 1912), a publicist who in his works honours the unique beauty of the Russian countryside.

Рубинште́йн Лев Влади́мирович, Lev Rubinstein (*b.* 1905), a Russian Soviet writer; the author of historical tales.

Рыле́нков Никола́й Ива́нович, Nikolai Rylenkov (1909-1969), a Russian Soviet prose-writer and poet.

Си́монов Константи́н Миха́йлович, Konstantin Simonov (1915-1979), a Russian Soviet poet and prose-writer, public figure, Hero of Socialist Labour and winner of the Lenin and USSR State Prizes. His work covers many genres and describes the world of the modern man sensitive to the demands of his time.

Сладко́в Никола́й Ива́нович, Nikolai Sladkov (*b.* 1920), a Russian Soviet writer, author of stories about Nature.

Стюа́рт Елизаве́та Константи́новна, Elizaveta Stuart (1906-1984), a Russian Soviet poetess, the author of verses about children and Nature.

Сурко́в Алексе́й Алекса́ндрович, Alexei Surkov (1899-1983), a Russian Soviet poet, public figure, Hero of Socialist Labour and USSR State Prize winner. His poetry is notable for its heroic pathos and subtle lyricism.

Ти́хонов Никола́й Семёнович, Nikolai Tikhonov (1896-1979), a Russian Soviet writer, public figure, Hero of Socialist Labour, winner of the Lenin, State, and International Lenin Prizes. His lyrical works contain a romantic view of revolutionary duty, and the themes of the friendship of peoples and the struggle for peace.

Толсто́й Алексе́й Никола́евич, Alexei Tolstoy (1883-1945), a Russian Soviet writer, public figure and USSR State Prize winner. The theme of patriotism runs through the whole of his work.

Траа́т Матс, Mats Traat (*b.* 1936), an Estonian Soviet writer, the author of collections of prose and verse, mainly about country dwellers.

Троепо́льский Гаври́ил Никола́евич, Gavriil Troyepolsky (*b.* 1905), a Russian Soviet writer and State Prize winner. He is the author of lyrical stories and tales.

Харито́нов Влади́мир Гаври́лович, Vladimir Kharitonov (1920-1981), a Russian Soviet poet.

Цвета́ева Мари́на Ива́новна, Marina Tsvetayeva (1892-1941), a Russian Soviet poetess, author of lyrical verse and prose.

Шукши́н Васи́лий Мака́рович, Vassily Shukshin (1929-1974), a Russian Soviet writer, film director, and actor. Honoured Art Worker of the RSFSR. His stories depict a multitude of modern social and psychological types.

Шуртако́в Семён Ива́нович, Semyon Shurtakov (*b.* 1918), a Russian Soviet writer. The author of stories about Soviet village life.

Яковлев Юрий Яковлевич, Yuri Yakovlev (*b.* 1922), a Russian Soviet writer, author of books for children and young people.